'**26**年版

警察官

I類・A 大卒レベル

過去問題集

JN001078

成美堂出版

★ 「政治・経済」は、前年に成立した法律やWeb・新聞紙上に挙がった
キーワードが大切

2024年に成立した法律、実施された選挙、2024年の経済動向などに関するキーワードをチェックしましょう。

半年くらい前の出来事が出題される場合があります。

国内の動向と世界のさまざまな出来事に注意が必要です。

現内閣の動向にも注目してください。

各調査会の答申などにも目を向けてみましょう。

★ 「地理」は統計資料に慣れておく

各国のエネルギー、農林水産業、鉱工業の特徴を最新の統計資料集で読み取っておくことが大切です。

日本にとっての貿易相手国をしっかりと把握してください。

★ 「資料解釈」では近年の社会動向の推移を数字でたどる

表、折れ線グラフ、棒グラフの見方に慣れておくことです。**経済関連の白書や
『警察白書』**から多くの問題が出題されます。

★ 幅広い知識が問われる

文学・芸術、思想などを含め、一般教養としての幅広い知識が求められます。
さまざまなことに興味をもつように心掛けましょう。
ロシアのウクライナ侵攻やパレスチナ問題などに関連した最新キーワードは理解
を深めておいてください。

この本の使い方

　本書は、警察官Ⅰ類・Ａ（大卒程度）の採用試験における教養試験問題集です。公表されている**過去に実施した問題**と、科目によっては、内容的に是非覚えてもらいたい**予想問題**もあわせて掲載しました。

SECTION1 から SECTION4 に 19 の科目

過去1と**予想1** —— 問題には、かならず「過去」「予想」がうたってありますので、過去問題であるのか、予想問題であるのかを確かめてください。

重要度 —— ★(星)の数（1〜3）は、問題の頻出度や重要度を表します。

解答時間 —— 理想的な解答時間の目安を掲げました。

解説 —— 解答にいたるまでの流れを端的にわかりやすく説明しています。付属の赤シートを使ってキーワードなどを隠して覚えましょう。

覚えておこう —— 問題に対する直接的な解説ではないけれど、是非、覚えてほしい関連事項です。

▶ **POINT整理** —— 掲げた問題を解くにあたって、体系的に整理しておきたい事項をまとめました。付属の赤シートを使って学習の確認をしましょう。

国語試験と論文試験

　一部の自治体で実施されている国語試験と、ほぼすべての自治体で実施されている論文試験の**過去の問題**です。

国語試験 —— 漢字の読みが8問、漢字の書き取りが8問の計16問。過去問題を抜粋しました。

論文試験 —— 実際のテーマを3題、示してあります。巻末の原稿用紙を利用して実際に書いてみてください。

＊本書は原則として2024年8月現在の情報に基づいて編集しています。

目 次

採用試験の流れ

警視庁（東京都）ほかの試験の流れを参考に説明すると以下のようになります。

第1次試験

教養試験 ……… おおむね50問（五肢択一）を120〜150分で行います。
[一般知識分野] 社会科学　人文科学　自然科学
[一般知能分野] 文章理解　数的処理　判断推理　資料解釈

論文試験 ……… 与えられたテーマに対して、800〜1000字程度で論文を書きます。時間は60〜120分程度。

国語試験 ……… 自治体によっては、漢字の読みと書きの試験が実施されます。各25問から30問ほどで時間は20分程度。

警視庁の場合は、第1次試験において、第1次適性検査が実施されます。（その後、第2次試験で、第2次適性検査を実施します）

第2次試験

面接試験 ……… だいたいが個別面接試験です。筆記試験では測ることができない受験者の内面をみようとするものです。

身体検査 ……… 視力、色覚、聴力、運動機能、レントゲン、血液検査等。

適性検査 ……… 各種の適性検査方法で、警察官としての適性をみます。

体力検査 ……… 腕立て伏せ、バーピーテスト、上体起こし、反復横跳び等。

※試験の流れは、**各々の自治体、年度により異なりますので、受験をする際にはかならずご自身で各自治体に確認をとってください。**

SECTION ❶

社会科学

時事の知識が問われます。国内外の政治や経済の動きを常にしっかりとらえていることが必要です。警察官としての職務に関わる事項は、とくに深く掘り下げて学習してください。

1 政治

我が国の国会および両議院の審議に関する記述として、最も妥当なのはどれか。

1 両議院の委員会は、常任委員会のほかに、各院において特に必要があると認めた案件等を審査するために随時設けられる特別委員会がある。

2 委員会においては、すべての案件につき、利害関係者や学識経験者などの意見をきく公聴会を必ず開かなければならない。

3 両議院ともに常任委員会が設けられているが、衆議院の優越の観点から、衆議院のほうが多くの常任委員会が置かれている。

4 両議院は委員会制度を採用しているため、法律案はまず本会議で審議され、その後各委員会で徹底的に審議・議決して法律が成立する。

5 委員会の審議は、国会の審議の一部であることから、国民は常に委員会を傍聴することができる。

重要度	★★★	解答時間	3分	正解	1

解説 委員会制度はアメリカ合衆国にならったもので、委員会の目的は案件を掘り下げて審議し、本会議において議事を円滑に進めること。

○**1** 特別委員会は特別な案件の審査のため、各院の議決により設置される。特別委員会は審査が終われば、解散となる。

×**2** 公聴会は必要に応じて開くものである。公聴会において述べられた意見は、参考にするだけで拘束力はない。

×**3** 2024（令和6）年8月現在、衆議院・参議院ともに、17の常任委員会が設置されている。

×**4** 国会に提出された法律案は、両議院の議長から各委員会に送られ、そこで審議された後、本会議で審議・議決され法律が成立する。

×**5** 会議公開の原則はあるが、両議院とも院の議決により、傍聴者や報道関係者の立ち入りを許可しない秘密会とすることができる。

POINT 整理

国会に提出された法律案が可決、公布されるまで

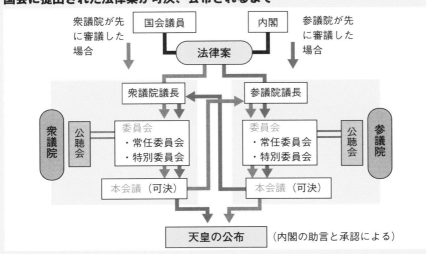

<table>
<tr><td>過去 2</td><td>次の戦後の出来事を古い順に並べたとき、3番目にくるものはどれか。</td></tr>
</table>

1 　国鉄民営化
2 　日中共同声明調印
3 　消費税創設
4 　沖縄返還協定調印
5 　日ソ共同宣言締結

<table>
<tr><td>重要度</td><td>★ ★ ★</td><td>解答時間</td><td>3分</td><td>正解</td><td>2</td></tr>
</table>

解 説　**5→4→2→1→3 の順番になる。**

1 1987（昭和62）年4月、それまでの日本国有鉄道（国鉄）がJRとして、6つ
の旅客鉄道会社と1つの貨物会社に分割、民営化された。
2 1972（昭和47）年9月、日本政府は中華人民共和国政府との間に、日中共
同声明を調印、国交が開かれた。
3 1989（平成元）年4月に消費税が実施された。
4 沖縄返還協定が調印されたのは、1971（昭和46）年6月のこと。翌72年
5月15日に協定が発効し、この日が沖縄返還の日として知られている。
5 1956（昭和31）年10月、日本とソ連の間の戦争終結宣言として、日ソ共同
宣言が発表された。日ソ間の国交が回復し、国連の安全保障理事会の常任
理事国であったソ連が賛成にまわったため、日本の国連加盟が実現した。

▶▶ 当時の首相と社会

年	出来事	首相	当時の社会
1956	日ソ共同宣言締結	鳩山一郎	神武景気
1971	沖縄返還協定調印	佐藤栄作	ニクソン（ドル）・ショック
1972	日中共同声明調印	田中角栄	沖縄返還協定が発効〜復帰
1987	国鉄民営化	中曽根康弘	ソ連でペレストロイカ始まる
1989	消費税創設	竹下登	昭和天皇崩御。天安門事件

過去 3 憲法第7条に規定されている天皇の国事行為として、誤っているものはどれか。

1　参議院を閉会すること。
2　国会を召集すること。
3　国会議員の総選挙の施行を公示すること。
4　栄典を授与すること。
5　国務大臣の任免を認証すること。

| 重要度 | ★★★ | 解答時間 | 2分 | 正解 | 1 |

解 説　衆議院の解散は天皇の国事行為の一つ。

• 参議院の閉会ではなく、衆議院の解散である。衆議院が内閣不信任決議案を可決したことに対する内閣の対抗措置。内閣不信任決議権は衆議院にはあるが、参議院にはない。
• 衆議院は任期が4年で解散があるが、参議院は任期が6年で解散もない。それゆえ、衆議院の方が参議院よりも国民の声を反映していると考えられ、衆議院の優越が定められている。

▶▶ **天皇の国事行為**

①**日本国憲法第6条の任命権**
• 国会の指名に基づいて、内閣総理大臣を任命。
• 内閣の指名に基づいて、最高裁判所長官を任命。

②**日本国憲法第7条の国事行為**
• 憲法改正、法律、政令、条約の公布　• 国会の召集　• 衆議院の解散
• 国会議員の総選挙施行の公示　• 国務大臣の任免の認証や大使の信任状の認証　• 恩赦の認証　• 栄典の授与　• 批准書その他の外交文書の認証
• 外国大使、公使の接受　• 儀式の挙行

我が国の新しい人権に関する記述として、最も妥当なのはどれか。

1　環境権とは、自然環境の破壊や生活環境の悪化を防止し、よりよい環境を享受する権利であり、基本的人権の享有（憲法第11条）を法的根拠としている。

2　プライバシーの権利は、当初、私生活をみだりに公開されない権利として主張されたが、現在では、自分に関する情報をみずから管理する権利を含むものと考えられている。

3　知る権利とは、国民が行政機関に対して積極的に情報の公開を求める権利のことをいい、政府が国民の活動を監視し民主的にコントロールするためには必要不可欠である。

4　アクセス権とは、自己の意見が報道されなかったと感じる者が、マス・メディアに対して意見広告や反論記事の掲載を求める権利のことをいい、最高裁判所もアクセス権を認めている。

5　自己決定権とは、個人が自己の生き方を他者の介入を受けずに決定する権利であるが、自己決定権として認められている内容は医療の分野に限定される。

重要度	★ ★ ★	解答時間	4分	正解	2

解 説 近年、個人に関する情報がデジタル化され、政府機関や企業に収集、管理、利用されるようになっているため、プライバシーの権利に対する考え方にも変化がみられる。

× **1** よりよい環境を享受することは人間の生存の基本条件であるので、生存権（憲法第25条）、幸福追求権（憲法第13条）が法的根拠となる。

○ **2**「自分に関する情報をみずから管理する権利」とは、コンピュータに登録されている自分の情報を閲覧したり、誤りを訂正する権利をいう。

× **3** 政府が国民の活動を監視するのではなく、国民が政府の活動を監視することが民主主義では重要で、そのために知る権利は欠かせない。

× **4** アクセス権についての説明は正しいが、最高裁でアクセス権が認められたことはなく、表現の自由（憲法第21条）で保障されているものでもない。なお、公文書の閲覧や謄写など、公の情報を入手、利用する権利も、アクセス権に含まれる。

× **5** 医療の分野に限らず、結婚、出産、趣味、髪型や服装等のライフスタイルなど、多方面において認められている。なお、自己決定権は、公共の福祉に反しない限りで尊重される。幸福追求権（憲法第13条）の一つと考えられる。

日本で初めてプライバシー権が認められた事件

● 『宴のあと』事件　　　　　　　　1964（昭和39）年9月28日判決

• 三島由紀夫の小説『宴のあと』のモデルとされた元政治家が、まるで私生活を覗き見されたかのような描写が作品中にあり、プライバシーの侵害であるとして、作者、出版社などを東京地方裁判所へ訴えた。

• 東京地裁は、元政治家の主張を認め、プライバシーが侵害されたこと、および損害賠償請求を認めた。この時、プライバシーの権利を「私生活をみだりに公開されない権利」と定義した（一部の請求額分と謝罪広告については認められず）。

• さらに『宴のあと』事件は、小説、映画、ドラマなどにおける「この物語はフィクションです」というただし書きの始まりになったともいわれる。

行政機能の拡大及び行政の民主化に関する記述として、最も妥当なのはどれか。

1 行政運営の公正の確保や透明性の向上のため行政手続法が制定され、行政の許認可や行政指導などに対する法的な規制が制度化されている。

2 国民が行政活動を監視できるように、地方公共団体では情報公開条例が制定されているものの、行政機関の保有する情報の公開に関する法律は未だ制定されていない。

3 国民に代わって行政を調査し是正勧告などを行うオンブズマン制度の導入が検討されてはいるが、国政はもちろん地方自治体でも未だ導入されたことはない。

4 行政の中立で公正な運営を目的として、一般の行政機関とともに調査などを行う合議制の審議会が設置されているが、人事院、国家公安委員会、選挙管理委員会がその代表的な機関である。

5 行政運営の民主化を図るため、法律で原則だけを規定し、細目は法律の委任に基づき行政機関が命令などで定める委任命令は禁止されている。

| 重要度 | ★★★ | 解答時間 | 3分 | 正解 | 1 |

 解 説 **行政手続法は、行政庁または行政機関が行う許認可や行政指導などについての手続き等を定めている。**

○1 行政手続法は、申請に対する処分（申請により求められた許認可を拒否する場合等）、不利益処分、行政指導、処分等の求め、届出、意見公募手続（パブリック・コメント）に関しての規制を法制化している。

×2 行政機関の保有する情報の公開に関する法律（情報公開法）が、2001（平成13）年から施行されている。

×3 国政としては、総務省の行政相談制度がオンブズマンの機能を担う制度の一つとしてあげられる。また、地方自治体にも取り入れられている場合がある。

×4 ここで述べているのは、税制調査会、法制審議会、中央教育審議会などのこと。人事院は公務員制度を、国家公安委員会は警察行政を中立、公正に運営させるための機関で、他の行政機関からは独立性を有している。

×5 委任命令は禁止されていない。法律、もしくは上位の命令に基づき発せられるもので、個別具体的な委託の必要な点が執行命令とは異なる。

POINT 整理

- **人事院**…公務員制度（国家公務員）を中立、公正に運営させるための機関。国家公務員採用試験問題の作成、給料や労働時間・休暇の決定、公務員倫理の維持をはかるほか、苦情相談を受けるなどのサポートも行う。
- **国家公安委員会**…警察行政を中立、公正に運営させるための機関。内閣府の外局。警察の最高機関で、警察庁を管理。国務大臣が務める委員長の他、首相が国会の同意を得て任命した5人の委員から構成される。任期は5年。
- **選挙管理委員会**…選挙に関する事務全般を扱う機関。都道府県、市区町村、特別区に置かれる。都道府県選挙管理委員会は、衆議院、参議院選挙区、都道府県議会議員および知事の各選挙の事務を扱う。4人の委員で任期は4年。

次の刑法に定める罪名のうち、裁判員裁判の対象事件として、妥当でないのはどれか。ただし、裁判員法（裁判員の参加する刑事裁判に関する法律）第3条に定める除外事項については考慮しないものとする。

1 通貨偽造及び行使

2 過失致死

3 身の代金目的略取

4 強盗致死

5 現住建造物等放火

重要度	★ ★ ★	解答時間	2 分	正解	2

 解説 **対象事件は、一定の重大な犯罪であり、故意でない行為により被害者を死亡させた場合、つまり、過失致死は対象にならない。**

○1 紙幣や貨幣を偽造したり、その偽造通貨を使用したりすること。刑法第148条により禁じられ、無期、または3年以上の懲役（2025年6月1日以降は拘禁刑）に処せられる。

×2 裁判員法第2条に「故意の犯罪行為により被害者を死亡させた罪に係るもの」を、裁判員裁判の対象にすると規定されている。

○3 身の代金を取ることを目的として、人を略取（力ずくで連れ去ること）、誘拐（だまして連れ去ること）すること。刑法第225条の2で禁じられており、無期、または3年以上の懲役に処せられる。

○4 強盗をして、人を死亡させること。刑法第240条で、負傷させることと合わせて、強盗致死傷罪として定められている。死亡させたときは死刑、または無期懲役、負傷させたときは無期、または6年以上の懲役。

○5 人が住んでいる建物や、人がいる列車、船、鉱山などに放火すること。刑法第108条で禁じられ、死刑、または無期、もしくは5年以上の懲役。

POINT 整理

裁判員の選出方法

• 裁判員候補者名簿の作成…18歳以上（法改正により2022（令和4）年より20歳から18歳に）の選挙権のある者の中から、毎年抽選で、翌年の裁判員候補となる者を選ぶ。裁判所（地方裁判所）ごとに、裁判員候補者名簿を作成。

⬇

• 事件ごとに裁判員候補者を選定…事件ごとに、1つの名簿から抽選により、裁判員候補者を選ぶ。選ばれた候補者には、裁判所から連絡がある。

⬇

• 候補者から裁判員を選ぶ手続き…裁判所において、裁判長から不公平な裁判をする恐れがないか、また辞退希望の有無・理由などを尋ねられる。検察官や弁護士は、候補者の中から除外すべき者を指名する。

⬇

• 裁判員の選定…除外されなかった候補者の中から、裁判員が選ばれる。

核軍縮に関する記述として、最も妥当なものはどれか。

1　アメリカ・ソ連・イギリスは1968年に、核兵器の保有を当時の米ソ中英仏5カ国に限って認め、非核保有国の原子力平和利用は国際原子力機関（IAEA）の査察を認めることを条件に、核保有国が技術協力をすることなどを要点とする、核兵器不拡散条約（NPT）に調印した。

2　1970年代に入ると、米ソ両国は戦略兵器制限交渉（SALT）を進め、相手の核ミサイルを空中で迎撃するミサイルの配備を進めるために、対弾道弾ミサイル（ABM）制限協定を結んだ。

3　1980年代には、再度米ソ緊張がたかまり、両国はヨーロッパに中距離核戦力（INF）の配備を進めたが、アメリカが、相手の核ミサイルを空中で撃墜することをめざした戦略防衛構想（SDI）を打ち出したことで、核抑止の体制がますます堅固なものになった。

4　米ソ両国は、1987年に中距離核戦力全廃条約をめざしたものの実現できず、結局、冷戦終結後に戦略兵器削減条約（START）が米ロ間で結ばれるまで、核軍縮を実現できなかった。

5　冷戦後も、核兵器保有が国家の威信を高めるという考え方や、核抑止を重視する考え方が根強く残っている。このような傾向を抑制するため、全般的な核実験停止を目指す包括的核実験禁止条約（CTBT）が1996年に国連総会で採択され、全核保有国の参加により発効した。

| 重要度 | ★ ★ ★ | 解答時間 | 4分 | 正解 | 1 |

解説 核兵器不拡散条約（核拡散防止条約：NPT）は1970年に発効。核保有国の非保有国への核兵器譲渡・製造援助を禁止する条約。

○**1** インドとパキスタンは核保有国だが、核兵器不拡散条約に未加盟。北朝鮮は1993年に脱退を表明。2003年にも再度脱退を表明している。事実上の保有国とみられるイスラエルも未加盟。

×**2** 迎撃するミサイルの配備を進めるためではなく、配備を制限するためが正しい。ABM条約は、弾道ミサイルを迎撃するミサイルシステムの開発・配備を制限するものである。核攻撃を相互に抑止するのが目的。

×**3** 戦略防衛構想（SDI）は、1983年にアメリカのレーガン大統領が打ち出した構想。莫大な資金と技術的困難さから実現が困難となり、放棄された。

×**4** 中距離核戦力（INF）全廃条約は、核兵器を搭載可能な中距離ミサイルを廃棄、その後も製造しないという条約。1987年、米ソで調印。88年発効。米ソが初めて核兵器の削減に同意した条約として知られる。

×**5** 1996年に国連総会で採択された包括的核実験禁止条約（CTBT）は、発効要件国のアメリカ、中国、イスラエル、イラン、エジプトが未批准、インド、パキスタン、北朝鮮が未署名のため、発効していない。

▶▶ 主な核軍縮条約

- 部分的核実験禁止条約…1963年、米・英・ソが調印。同年発効。地下実験を除く大気圏内、宇宙空間、水中における核実験を禁止。
- 核兵器不拡散条約（核拡散防止条約：NPT）…1968年、国連総会で採択。
- 中距離核戦力（INF）全廃条約…1987年、米ソで調印。88年発効。2019年8月、失効。
- 戦略兵器削減条約（START Ⅰ、Ⅱ）…米ソの保有する戦略兵器の削減を約束。Ⅰは1991年調印。Ⅱは93年に調印したが未発効に終わる。
- 包括的核実験禁止条約（CTBT）…地下核実験も含めすべての核実験を禁止する条約（臨界前核実験は除く）。1996年、国連総会で採択。未発効。
- 核兵器禁止条約…核兵器の使用、開発、実験、保有、核をちらつかせる脅しなどを法的に禁ずる条約。2017年採択、2021年発効。アメリカをはじめとする核保有国、ヨーロッパのNATO加盟国、韓国、日本などは非加盟。

アメリカの政治体制に関する記述として、最も妥当なのはどれか。

1　大統領は連邦議会に議席を有し、外交問題や財政政策について上院及び下院で説明する責任を負っている。

2　大統領は国民の直接選挙によって選出されるが、投票者の過半数を獲得できなかった場合は、上位2名による決選投票が行われる。

3　アメリカは厳格な三権分立の国であるため、連邦議会が可決した法律を連邦裁判所が違憲かどうか審査することはできない。

4　上院と下院からなる連邦議会は、大統領が拒否した法案の再可決をする権利を持つ。

5　上院は各州から人口比例で比例代表制により選出され、下院は各州から2名ずつ小選挙区制により選出される。

| 重要度 | ★ ★ ★ | 解答時間 | 3分 | 正解 | 4 |

 解説 大統領は連邦議会で可決された法案に対して、拒否の理由をつけ議会に送り返すことができる。連邦議会はその法案に対して再可決ができる。

×1 大統領は議会に議席を持つことはできない。大統領は連邦議会には責任を負わず、国民に対してのみ責任を負う。各省の長官も議席を持てない。

×2 直接選挙ではなく、間接選挙である。大統領選挙投票日は全米一斉に州単位で行われる。得票数の多かった候補がその州の選挙人全てを獲得、その選挙人が大統領候補に投票する。

×3 連邦裁判所は、連邦議会が可決した法律が違憲かどうか審査することができ、違憲の場合には法律の無効を宣言できる（違憲立法審査権）。

○4 大統領から送り返された法案を連邦議会が3分の2以上の多数で再可決した場合、大統領はもはや拒否できず、法案が成立する。

×5 上院は各州とも2議席を持つ。全米で100議席、任期は6年で2年ごとに約3分の1ずつの改選。下院は各州最低1議席を保証、残りは各州の人口に応じて分配、435議席、任期は2年で2年ごとに全員改選。

▶▶ アメリカの連邦議会について理解を深めよう

- 上院も下院も立法上の権限は対等。日本の「衆議院の優越」のような原則はない。
- 上院は行政参与権（大統領の条約締結や高級公務員・裁判官任命に対する同意権）を持つ→大統領の独裁を防止する役割が期待されている。
- 下院は大統領を含む連邦官吏弾劾訴追権を持つ。上院は連邦官吏弾劾裁判権を持ち、有罪となった場合、連邦官吏を罷免する権限を持つ。
- 上院と下院の議席数の違い…上院では各州2議席を持つため、小さな州でも大きな州と同じ影響力を持つ。下院では1議席以外は人口に比例するので、人口の少ないアラスカ州では1議席、人口の最も多いカリフォルニア州では53議席などという状況が発生する。議席数は10年ごとの国勢調査を基に、人口の変化を考慮して再計算される。

国際法に関する記述として、最も妥当なのはどれか。

1　国際法には、国際慣習法と不文国際法の2種類がある。

2　国際慣習法の例としては、条約や宣言、議定書などがある。

3　バークは、オランダの法学者であり国際法の父と呼ばれている。

4　国際法に基づくと、国家の主権は領土にのみ及ぶため、海洋に国家の主権は及ばない。

5　条約や協定などの国際法は、これに参加しない国に対しては拘束力を持たない。

| 重要度 | ★★★ | 解答時間 | 3分 | 正解 | 5 |

解説　国際法の基本を理解しよう。

✕**1** 国際法には、国際慣習法と条約などの法の2種類がある。条約以外にも、協定、協約、宣言、議定書、覚書、憲章などの呼び方があるが、当事国間の合意により締結されたものであれば、条約としての効力に変わりはない。

✕**2** 国際慣習法は長年のならわしにより成立した決まりで、例としては、公海自由の原則、出入国や通商の手続き、海外に住む自国民の保護についての慣行、大使や公使など外交使節の治外法権などがある。

✕**3** オランダの法学者で、「国際法の父」と称されるのは、グロチウスである。『戦争と平和の法』を著し、国際社会においても、国家が従うべき法が存在することを説き、国際法の基礎を築いた。バークは18世紀のイギリスの政治家、思想家。

✕**4** 国家の主権は領土だけではなく、領海、領空にまで及ぶ。

〇**5** 条約や協定は当事国同士の合意により締結されたものであり、当事国間にのみ拘束力がある。

POINT 整理

国際法の構成内容と限界

1　国際法を構成する2つの法
- 国際慣習法…長年のならわしによって成立した国際間の決まりごと。
- 条約などの法…条約、協定など特定の国家間で締結された法。

2　国際法の限界
- 立法機関の欠如…国際慣習法や条約によって成り立っており、国内法のように国会などの立法機関によって一定の手続きで制定されるものではない。
- 強制力の欠如…国際法に違反した国に対する制裁規定がない。多数の国による共同の制裁や被害国の報復が認められているにすぎない。また、国際司法裁判所があるが、一方の国が提訴しても、もう一方が拒否すれば裁判は行われない。

2 経済

過去
1 | 我が国の財政に関する以下の記述のうち、最も妥当なのはどれか。

1 　1月1日から同年の12月31日までを一会計年度とし、その間の政府の収入と支出の活動のことを財政という。

2 　会計には、収入と支出を総合的に管理する一般会計と、特定の事業を行うために一般会計の中から収入を割り当てる特別会計がある。

3 　政府は毎年、一般会計予算、特別会計予算、政府関係機関予算を作成して国会に提出し、これらを一体として国会の承認を得て実行に移す。

4 　年度途中で、本予算に追加や変更を行わざるを得ない場合に、国会の議決を経て修正された予算を暫定予算という。

5 　政府が行う投融資活動を財政投融資といい、財務省資金運用部に預託された郵便貯金や年金積立金などを資金として運用している。

重要度	★ ★ ★	解答時間	3分	正解	3

解 説 国家予算は、一般会計予算、特別会計予算、政府関係機関予算からなり、国会における審議・承認が必要で、公開しなければならない。

✕1 我が国の場合、一会計年度は4月1日から翌年の3月31日までになる。

✕2 特別会計は、一般会計の中から収入を割り当てるのではなく、一般会計とは別に割り当てられるものである。

◯3 政府関係機関とは、全額を政府が出資する法人のうち、予算が国会の承認を必要とするもので、日本政策金融公庫、沖縄振興開発金融公庫、国際協力銀行、国際協力機構の有償資金協力部門の4機関である。

✕4 設問文は補正予算のこと。暫定予算とは本予算が会計年度開始日（4月1日）までに成立しない場合、国会の承認を得て暫定的に組まれる予算のこと。

✕5 設問文は2001（平成13）年の財政投融資の改革前のこと。現在は、郵便貯金や年金積立金は財政投融資と関係はない。現在の財政投融資の財源は、財投債（国債）の発行などにより調達した資金である。

POINT 整理

2024（令和6）年度我が国の一般会計予算の歳出・歳入内訳

歳出：社会保障関係費と地方交付税交付金等と国債費で歳出全体の約4分の3を占める。歳入：約3分の2しか税収ではまかなえず、残りは公債金（借金）に依存。

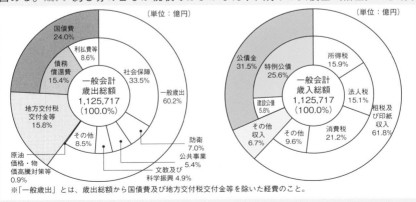

※「一般歳出」とは、歳出総額から国債費及び地方交付税交付金等を除いた経費のこと。

（財務省HP　日本の財政関係資料「我が国財政の現状」より）

第二次世界大戦後の日本と世界の経済に関する記述として、妥当なものはどれか。

1　戦後の国際通貨体制はブレトン・ウッズ体制と呼ばれ、金貨本位制をとり、各国通貨と米ドルとの交換比率の変動を金相場の変動に合わせることが取り決められていた。

2　1970年に金と米ドルの交換停止が宣言されたことを受け、同年の10か国蔵相会議で変動相場制への移行を合意し、スミソニアン体制が始まった。

3　1973年にはイラン革命とイラン－イラク戦争によってイランの石油生産が激減し、石油価格が高騰して世界の経済は大きな打撃を受けた。これを第1次石油危機と呼ぶ。

4　1985年にロサンゼルスで5か国蔵相会議が開催され、ドル安を是正することが合意された。これを、開催されたホテルの名前をとり、プラザ合意と呼ぶ。

5　円高に伴う金融緩和と円高差益による利潤を背景として、1986年以降、株や土地などの資産の価格が経済の実体を離れて高騰するバブルと呼ばれる現象が生じた。

| 重要度 | ★ ★ ★ | 解答時間 | 3分 | 正解 | 5 |

 バブル経済では、大量の資金が生産面以外の土地や株式などの投機に流れ、それらの価格が異常に高騰した。

×1 第二次世界大戦終了1年前の1944年7月、アメリカのニューハンプシャー州ブレトン・ウッズで、連合国の国際通貨会議が開かれた。ドルと金の兌換を保証する金為替本位制を主張するアメリカ案が採択された。

×2 1971年、アメリカ大統領ニクソンはドルの下落を防ぐため、ドルと金の兌換停止を発表（ニクソンショック）。同年、先進10か国の蔵相がワシントンのスミソニアン博物館に集まり、金1オンスを38ドルの水準で多角的調整を行った。変動相場制に移行したのは、1973年のこと。

×3 第1次石油危機は、第4次中東戦争のときである。OPEC（石油輸出国機構）が原油価格の大幅引き上げを実施したために起こった。イラン革命は1979年で、これをきっかけに起きたのは第2次石油危機である。なお、イラン－イラク戦争は1980〜88年。

×4 プラザ合意では、ドル高を是正した。これ以降、ドル安の時代となる。開催された場所はニューヨークのプラザホテル。

○5 バブル経済においては、土地・株式の価格が高騰したが、1990年代初めからそれらの価格は下落し始め、バブル経済は崩壊。以後、景気の低迷が続いた。

国際通貨制度と貿易体制

国際通貨制度

金本位制 → 金本位制崩壊 → IMF体制（1945〜）（ブレトン・ウッズ協定）（国際通貨基金）
1971…スミソニアン体制
1973…変動相場制となる

世界恐慌 1929

第二次世界大戦 1939〜45

金の二重価格制 1968 ／ ドル危機が進行

ニクソンショック 1971 ／ ドルと金の交換停止

第一次石油危機 1973

貿易体制

ブロック経済 → GATT体制（1948〜94）（関税と貿易に関する一般協定） → 輸入制限の撤廃 関税引き下げ → 1995 WTOに継承（世界貿易機関）

消費者問題と消費者保護に関する記述として、最も妥当なのはどれか。

1　アメリカのルーズベルト大統領は、消費者の４つの権利として、①安全である権利、②知らされる権利、③選択できる権利、④意見が聞かれる権利、を示した。

2　消費者といえども契約を一方的に解約することはできないのが原則であるが、一定期間内であれば自由に契約を解除できる制度があり、これをネガティブ・オプションという。

3　過剰包装や使い捨て商品を見直し、資源のリサイクルや環境保護に配慮した消費者のことをグリーン・コンシューマーという。

4　カナダの経済学者ガルブレイスは、消費者の欲望は企業の宣伝や販売活動に依存しており、自律的でないことをデモンストレーション効果とよんだ。

5　注文していない商品を一方的に送りつけ、消費者が支払わなければならないと勘違いして支払うことをねらった商法をアポイントメントセールスという。

| 重要度 | ★★★ | 解答時間 | 3分 | 正解 | 3 |

 解説 グリーン・コンシューマーは、環境のシンボルカラーとなるグリーンと消費者を意味するコンシューマーからなる造語。

×1 ケネディ大統領が示したもの。ケネディは1962年3月15日に、4つの権利を盛りこんだ教書を連邦議会に提出した。現在、この日は世界消費者権利デーとなっている。

×2 クーリング・オフのこと。適用される期間は訪問販売や電話勧誘販売、訪問購入などが8日間、連鎖販売取引（マルチ商法）などが20日間となる。

○3 商品を購入するとき、価格や性能、安全性だけでなく、環境に配慮した商品であるかも考慮するのが、グリーン・コンシューマーのものの選び方。

×4 デモンストレーション効果とは社会の環境によって消費の規模が変わってくるというもの。つまり、低所得者の中で生活すれば自分の消費も小さくなり、高所得者の中で生活すれば消費は大きくなる。ガルブレイスは正統派経済学を批判し続けた経済学者で、「異端派」経済学者として知られる。

×5 ネガティブ・オプション（送りつけ商法）のこと。代金をしつこく請求する場合もある。商品を返送したり、受領を拒否する方法もあるが、直ちに処分しても問題はない。かつては、商品を受け取って14日間経過しなければ処分できなかったが、2021（令和3）年の特定商取引法改正によって、一方的に送付された商品については、直ちに処分できるようになった。

消費者がトラブルに巻きこまれやすい商法

- アポイントメントセールス…消費者に電話や街頭で声をかけ、販売や勧誘の目的を隠して事業所などに誘導し、高額な商品やサービスを売りつける手法。「当選した」「期間限定」などと、消費者心理をくすぐる手口も使われる。
- 連鎖販売取引（マルチ商法）…販売組織の会員が、外部の人に商品を買わせて新規会員とし、その新規会員が別の外部の人に商品を買わせて、さらに会員にするという手法。連鎖で商品を次々と転売していく。特定商取引法は、連鎖販売取引に対して、クーリング・オフのほか、書面交付義務、中途解約・返品ルール、意思表示の取り消しなど、細かな規制を設けている。

過去 4 我が国の市場と競争に関する記述として、最も妥当なのはどれか。

1 企業どうしが価格や生産量について協定を結ぶカルテルを消費者保護法によって禁止しており、消費者庁がその監視に当たっている。

2 巨大な設備を用いる産業では、生産量を増やすことによって生産コストが高くなるので、トラストなど合併による独占形態が出現するようになった。

3 寡占・独占化が進むと、価格が下方には変化するが上方には変化しない場合が多くなり、これを「価格の上方硬直性」と呼ぶ。

4 寡占市場でプライス・リーダーが一定の利潤を確保できる価格を設定し、他の企業もそれに追従するような価格を均衡価格という。

5 公的機関の定めた標準規格ではなく、既成事実的に市場を支配するようになった規格のことをデファクト・スタンダードという。

| 重要度 | ★★★ | 解答時間 | 3分 | 正解 | 5 |

 解説 **自由競争**市場で、ある企業の製品が市場の大半を占める状態になった時、その製品の規格が、公的機関の認証がないまま、業界のスタンダードとなる。これを**デファクト・スタンダードという。**

×1 カルテルを禁止しているのは独占禁止法。この法律の目的は自由競争と消費者の利益の保護等であり、公正取引委員会が監視に当たっている。

×2 生産量を増やすことによって、単位当たりの生産コストは一般的には安くなる。トラストの目的は、企業合同による価格協定などを行い、高い利潤を確保しようというもの（カルテルの目的も同様）。

×3 寡占・独占が進むと、価格が上方へは変化するが、下方には変化しない場合が多くなり、これを「価格の下方硬直性」と呼ぶ。

×4 均衡価格ではなく、管理価格。この場合、価格は自由市場の需給関係によってではなく、プライス・リーダーの企業によって決定される。

○5 デファクト（de facto）はラテン語で「事実上の」という意味。デファクト・スタンダードは「事実上の標準」となる。一方、公的機関に認証された規格は、デジュール・スタンダードと呼ばれる。

▶ 市場価格決定のメカニズム

資本主義市場においては、企業間での自由競争が行われ、需要量と供給量により価格が決定されることが基本である。

- 一般的に価格が高ければ買う量が減り、安ければ増えるのが需要（需要曲線 D）。
- 一般的に価格が高ければ売る量が増え、安ければ減るのが供給（供給曲線 S）。
- 価格は需要と供給の一致した点（P_0）に決定する。また、数量は Q_0 になる。

（需要曲線 D'は需要量が増えた場合（例えば賃金の上昇）を表し、数量は Q_1 に、価格は P_1 に上昇。供給曲線 S'は供給量が増えた場合（例えばコメの豊作による生産量の増加）を表し、数量は Q_2、価格は P_2 に下落）

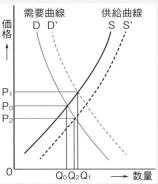

国民経済の指標に関する記述として、最も妥当なのはどれか。

1 GDP は一国のある一時点での資産などのストックを扱った指標であるのに対し、国富は一国のある一定期間の生産などのフローを扱った指標である。

2 GNI は、一定期間に一国内で新たに生産された付加価値の総計を意味する指標であり、これに海外からの純所得を加えると GDP になる。

3 GNI は、国内での外国人の生産は含むが、国外での自国民の生産は含まない。一方、GDP は、国内での外国人の生産は含まないが、国外での自国民の生産は含む。

4 国民経済全体からみると、生産されたものに対して何らかの形で支出があり、生産されたものは誰かに消費されることから、国民所得は生産面、支出面、消費面において等しくなる。

5 GNI には、生産で使われ減耗する機械などの減耗分（固定資本減耗）が含まれているが、これを差し引いたものを NNP という。

重要度	★★★	解答時間	3分	正解	5

 解説 NNP（国民純生産）＝ GNI（国民総所得）－固定資本減耗

✕**1** GDP（国内総生産）はフロー、国富（国民資本）はストックを扱った指標である。フローは、経済活動を貨幣の流れとして捉えたもの。ストックは、豊かさをみるために、資産の蓄えを示したもの。

✕**2** GNI ではなく、GDP の記述。GNP（国民総生産）＝ GDP －海外への所得＋海外からの所得。GNI とは国民総所得のことで、近年、GNP に替わって導入された概念である。GNI（国民が受け取った所得の合計）＝ GNP（国民が生み出した商品・サービスの付加価値の合計）

✕**3** 前半は GDP についての記述、後半は GNI についての記述である。

✕**4** 国民所得は生産面、分配（所得）面、支出（消費と投資）面において等しくなる＝国民所得の三面等価の原則

◯**5** NNP（国民純生産）＝ GNI（＝ GNP）－固定資本減耗（減価償却費）

過去
6　投資信託に関する記述として、誤っているものはどれか。

1　証券会社や投信委託会社しか扱えない。

2　預金と異なり元本割れするリスクが高い。

3　市場動向によっては高利回りが得られる。

4　証券業者が投資家から資金を集めて株式や債券などで運用し、その利益を分配する金融商品である。

5　金融業界は、預貯金に偏っている日本の個人金融資産を有価証券に向かわせる切り札として期待している。

重要度	★★	解答時間	2分	正解	1

解説　**投資信託は現在、銀行、生命保険会社、損害保険会社、信用金庫、郵便局（ゆうちょ銀行、かんぽ生命）などでも扱われている。**

✕**1** 1998（平成10）年12月、銀行窓口での販売が解禁され、以降、さまざまな業種が投資信託に参入している。

○**2** 銀行や郵便局（ゆうちょ銀行）の普通預貯金、定期（定額）預貯金では、預貯金者が元本割れの損害を被ることはない。

○**3** 元本割れするというリスクもあるが、その反面、高い利回りを得られる可能性もある。

○**4** 運用による損失は投資家が負担し、証券業者は原則として責任を負わない。

○**5** 金融業界の投資信託への期待は大きい。

銀行預金と投資信託

- 銀行預金…企業への貸出しによって得た利益は銀行の収入➡預金者はその収入の中から利息を受け取る。企業への貸付けのリスク（不良債権となるなど）は銀行が負担。預金者は元本と一定の利息を銀行から保証される。

- 投資信託…投信（投資信託）会社は、投資運用を委託され、運用手数料を受け取るだけ➡投資による収益はすべて投資家が受け取る。ただし、投資による損失が出た場合、投資家がすべて負担。元本が回収できないリスクも。

日本銀行の役割に関する記述として、最も妥当なのはどれか。

1　一般会計予算の歳入歳出の不均衡を補正するため、特例法に基づき国債を発行している。

2　物価の安定を目標に、国内の金の保有量に保証された兌換紙幣を発行している。

3　累進課税制度と社会保障給付を組み合せることで、所得の再分配を図る機能を有する。

4　市中の金融機関との間で、国債などの売買を行うことによって、通貨量や金利を調節する。

5　政府直轄の組織であり、金融危機の際には、最後の貸し手として金融システムの安定を図る。

重要度	★ ★ ★	解答時間	3分	正解	4

 解 説 日本銀行は物価と金融システムを安定させるため、金融政策の一つとして、市中銀行などの金融機関を相手に、国債などの有価証券を売買し、市中の資金量の調節を行う（公開市場操作）。

✕**1** 日銀が国債の引き受けによって政府への資金供与を行うことは、財政法第5条によって原則禁止されている（国債の市中消化の原則）。日銀が政府への資金供与を行えば、政府の財政節度を失わせ、通貨の増発に歯止めがかからなくなり、悪性のインフレーションを引き起こす恐れがあるためである。さらに、日本の通貨や日本経済に対する国内外からの信用も失われる可能性がある。日本だけでなく、先進諸国においても中央銀行による国債引き受けは禁止されている。

✕**2** 金本位制における中央銀行の役割を述べている。現在は管理通貨制であるので、通貨は兌換紙幣ではなく、不換紙幣である。管理通貨制は人為的に通貨量を増減できるので景気の調節がしやすい一方、インフレーションを招きやすいという面もある。

✕**3** この機能を有するのは日銀ではなく、政府である。累進課税制度は高額所得者に高い税率をかけ、低額所得者の税負担を軽減させる制度である。社会保障給付とは、社会保障制度に基づき、失業者や生活に苦しむ人たちへ給付を行うことである。累進課税制度と社会保障給付の組み合せによって、結果的に所得の再分配を行うというシステムである。

○**4** 公開市場操作には、売りオペレーションと買いオペレーションがある。売りオペレーションは好況時や市中の資金がだぶついているとき、日銀が国債などの有価証券を売って市中の資金を吸い上げ景気を引き締めることを目的とする。買いオペレーションは不況時や市中の資金が不足しているとき、日銀が国債などの有価証券を買って市中に資金を放出し、景気を刺激することを目的とする。

✕**5** 日銀は政府直轄の組織ではなく、日本銀行法により定められている認可法人である。日銀が「最後の貸し手」となる場合があるのは正しい。「最後の貸し手」とは、一時的な資金不足に陥った金融機関に対して、他に資金供給を行うものがいない場合、日銀が一時的な資金の貸し付けを行うことをいう。

③ 社会

> **予想 1** 次の記述は科学技術に関する用語の説明であるが、該当する用語として、妥当なのはどれか。

　アメリカ合衆国のオープンエーアイ（Open AI）社が開発した、人工知能を使ったサービスで、質問に対して人間が答えるように自然に答えたり、会話したりできることで、話題になり、利用者が急増している。

1　クラウドコンピューティング

2　チャット GPT

3　SNS

4　画像生成 AI

5　チャットボット

| 重要度 | ★★★ | 解答時間 | 3分 | 正解 | 2 |

解説 チャット GPT は、質問への回答や会話、文章作成、校正、要約のほか、小説を書くこともできる。

✕1 クラウドコンピューティング…自分のパソコンやスマホ内のデータ、ソフトを使うのではなく、インターネット等のネットワークを通じサービスとしてデータやソフトを利用すること。IT 業界では、システム構成図で、ネットワークの向こう側を雲（クラウド）で表すことにちなむ。

○2 チャット GPT…卓越したチャットサービスである一方、自分の言葉で文章を作成する能力を削いでしまう可能性などが指摘されている。

✕3 SNS…Social Networking Service の略称。インターネット等を通じ、ユーザーからの情報発信やユーザー間のコミュニケーション等、双方向の情報通信が行えるサービスの総称。LINE、YouTube、X（旧 Twitter）、Facebook 等が代表的。

✕4 画像生成 AI…膨大な画像データを学習して、文章（プロンプト）による指示で、写真のように精密な画像を生成する AI（人工知能）。

✕5 チャットボット…チャットとロボットを組み合わせた造語で、AI を活用した自動会話プログラムのこと。人間どうしの会話のチャットに対し、チャットボットでは AI の組み込まれたコンピュータが人間と対話する。

POINT 整理

最近の情報技術用語

- ビッグデータ…膨大で多岐にわたる複雑なデータのこと。さまざまなデータを分析して、利用者の需要に合った商品・サービスの供給、業務の効率化や新ビジネスの創造に活用しようという動きが出ている。

- 機械学習…データ分析の一方法。コンピュータ（機械）が学習し、データの背景にあるルール・パターンを発見して予測や判断を行う。代表的な分析手法に、多層的構造により考えるディープラーニング（深層学習）がある。

- IoT…Internet of Things の略。「モノのインターネット」と訳される。さまざまなモノがインターネットと接続する状態。

発展途上国の問題に関する以下の記述のうち、最も妥当なのはどれか。

1 発展途上国とされる国家間において、新興工業国などの所得が急増し生活水準が上昇した地域と、飢餓に苦しむ後発発展途上国との経済格差の問題を南北問題という。

2 比較的工業化が進んだ発展途上国が、先進国から借り入れた多額の債務の返済が困難になり、債務の返済繰り延べや債務不履行を引き起こしている問題をタックス=ヘイブンという。

3 1964年、発展途上国の開発、貿易、援助を国際的に討議する国連の常設機関として、国連貿易開発会議（UNCTAD）が設置された。

4 1960年代、いくつかの産油途上国は、国際石油資本（石油メジャー）を設立し、先進国の石油輸出国機構（OPEC）にかわって、原油の生産量や価格の決定を主導しようとした。

5 1974年の「新国際経済秩序（NIEO）樹立に関する宣言」では、プレビッシュ報告に基づいて、特恵関税制度の導入、GNP比1％の援助目標の設定などの目標が立てられた。

| 重要度 | ★★★ | 解答時間 | 4分 | 正解 | 3 |

解説 国連貿易開発会議（UNCTAD_{アンクタッド}）は、発展途上国の開発資金に対する先進国の援助や、発展途上国の農業製品・工業製品の輸出拡大などを討議する機関である。

✕1 南北問題ではなく、南南問題の記述。南北問題は先進国と発展途上国間の、南南問題は発展途上国間の問題をいう。

✕2 記述は累積債務のこと。タックス＝ヘイブンは租税回避地と訳され、税金を無料や非常に低い率にして、外国企業や富裕層の資産を誘致している国や地域のこと。ドバイ、バーレーン、カリブ海のバハマ、ケイマン諸島、バミューダ諸島、バージン諸島、ヨーロッパのモナコやサンマリノなど。

◯3 国連貿易開発会議は、先進国と発展途上国の格差是正を目的とする。

✕4 国際石油資本（石油メジャー）と石油輸出国機構（OPEC_{オペック}）とが逆。石油輸出国機構は、先進国の国際石油資本に対して、自国の利益を守るために1960年に設立された産油国の組織である。

✕5 新国際経済秩序（NIEO_{ニエオ}）は、1970年代に発展途上国が主張した国際経済関係の変革を求める概念。プレビッシュ報告の内容は正しいが、これは1964年の国連貿易開発会議総会で提出された報告書である。

POINT 整理

- **国際石油資本（石油メジャー）**
  石油事業において、採掘・輸送・精製・販売など全段階を行う大企業。エクソンモービル、ロイヤル・ダッチ・シェル、BPなどが代表的。
- **石油輸出国機構（OPEC）**
  石油の生産量や価格を調整して、石油輸出国の権益を守る。加盟国はイラク、イラン、クウェート、サウジアラビア、ベネズエラ、アルジェリア、ナイジェリアなど中東、アフリカを中心に12か国（2024年8月現在）。
- **新国際経済秩序で主張されたもの**
  天然資源の永久的主権、公正な価格制度、発展途上国の生産物に対する先進国の市場開放、多国籍企業への規制強化、特恵関税制度の拡大等。

過去 3 我が国の社会保障に関する記述として、最も妥当なのはどれか。

1 　我が国の社会保障制度は、租税と社会保険料の両方を財源にしており、社会保険、公的扶助、社会福祉の３つの種類にわけられる。

2 　すべての国民が、何らかの健康保険と年金保険に加入していることを国民皆保険・皆年金というが、我が国では、いまだ実現できていない。

3 　社会保険は、医療、年金、雇用、労災、介護の５種類からなり、費用は、被保険者と事業主のみが負担する。

4 　公的扶助は、生活に困窮している国民に対し、国が責任をもって健康で文化的な最低限度の生活を保障するもので、費用は税金でまかなわれる。

5 　社会福祉とは、国民の健康の維持・増進を図ることを目的に、感染症予防、母子保健、公害対策など幅広い範囲にわたり、保健所を中心に組織的な取組を行うものである。

重要度	★★★	解答時間	3 分	正解	4

解 説 公的扶助は生活の苦しい国民に対して、最低限度の生活を保障し、自立を助けようとする制度。

×**1** 日本の社会保障制度は、社会保険、公的扶助、社会福祉と保健医療・公衆衛生の4つの部門から成り立っている。

×**2** 我が国の国民皆保険は1958（昭和33）年制定の国民健康保険法により、国民皆年金は1959年制定の国民年金法により、実現している。ただし、農家や商店などの自営業者は、医療保険、年金保険において、企業に勤める会社員よりも受給額が少ないなど問題点も残る。

×**3** 社会保険の費用は、被保険者や事業主が負担するだけでなく、地方公共団体に対して国庫負担金として国も負担する。

○**4** 生活が困窮している国民に対して、その程度に応じて保護を行い、自立を助けることを目的とする生活保護法が、公的扶助の基本となる法律である。

×**5** 公衆衛生の説明である。ただし、母子保健は社会福祉の範囲内。社会福祉は生活保護法、児童福祉法、母子及び父子並びに寡婦福祉法、身体障害者福祉法、知的障害者福祉法、老人福祉法の社会福祉六法が中心となる。

 日本の社会保障制度

- 社会保険…医療保険…病気・ケガなどの場合給付（健康保険、国民健康保険、共済組合など）。
  年金保険…主に老後に給付（厚生年金保険、国民年金保険など）。
  雇用保険…失業などの場合、一定期間給付。
  労働者災害補償保険（労災）…労働上の傷病や死亡の場合給付。
  介護保険…介護が必要な高齢者などへ給付。
- 公的扶助…生活保護法に基づき、生活困窮者に生活・教育・住宅・医療・出産・就職・葬祭などの扶助を与える。
- 社会福祉…社会福祉六法に基づき、社会的に弱い立場の人を支援する。
- 保健医療・公衆衛生…予防接種などの感染症対策、上下水道整備や公害対策などの環境衛生の改善などにより、国民全体の健康の維持・増進を図る。

過去 4 環境保全に関する条約についての記述として、妥当なのはどれか。

1　ラムサール条約とは、有害廃棄物の国境を越える移動およびその処分に関して規制を加える条約である。

2　世界遺産条約とは、自然的な記念物や貴重な動植物の生息地を守る条約であり、文化的に価値の高い遺産は保護の対象ではない。

3　ワシントン条約とは、あらゆる野生生物の国際取引を規制する条約であり、対象は生物だけでなく、はく製・毛皮・きば等も含まれる。

4　気候変動枠組み条約とは、オゾン層保護を目的とする、国際的な対策の枠組みを定めた条約である。

5　生物多様性条約とは、生物の生息環境の保全と生物資源の持続可能な利用を目的とする条約である。

重要度	★★★	解答時間	3分	正解	5

 生物多様性条約は、生物の多様性の保全と、それを構成する要素の持続的な利用、遺伝資源の利用から生ずる利益の公平な分配を目的とする。

×**1** ラムサール条約は、「特に水鳥の生息地として国際的に重要な湿地に関する条約」が正式名称で、湿地や水鳥の保護を目的とする。日本では釧路湿原、尾瀬など53か所が登録（2024年2月現在）。

×**2** 世界遺産条約の正式名称は、「世界の文化遺産及び自然遺産の保護に関する条約」であり、文化的に価値の高い遺産も保護の対象である。

×**3** ワシントン条約では、絶滅の恐れや保護の必要がある野生生物が対象となる。はく製、毛皮、きば等も対象となるのは正しい。

×**4** 気候変動枠組み条約は、大気中の温室効果ガスの濃度を安定化させることを究極の目標とする。これは地球温暖化対策の取り組みのひとつである。

○**5** 生物多様性とは、さまざまな生き物たちの豊かな個性とつながりのことである。生物多様性条約では、生態系の多様性、種の多様性、遺伝子の多様性の3つのレベルの多様性があるとしている。

POINT 整理

生物多様性条約における3つのレベルの多様性

- 生態系の多様性…地球上には、森林、河川、湿原、干潟、里地里山、サンゴ礁など、さまざまなタイプの自然がある。
  （例）白神山地のブナ林、四万十川、釧路湿原、石垣島のサンゴ礁など。
- 種の多様性…動植物から微生物に至るまで、さまざまな生き物がいる。
  （例）花の受粉を媒介するミツバチ、海を回遊するアオウミガメ、知床半島に生息するエゾヒグマなど。
- 遺伝子の多様性…同じ種でも異なる遺伝子を持つことにより、形や模様、生態などに多様な個性がある。
  （例）同じアサリでも色や模様が異なる、テントウムシでも色や星の数が異なっているなど。 （環境省HP「生物多様性」）

過去 5　地球環境への国際的な取組みに関する記述として、最も妥当なのはどれか。

1　温暖化対策などの環境問題に関しては、国際連合の専門機関である UNESCO の主導のもと話し合いが行われている。

2　1992年にリオデジャネイロで開かれた国連環境開発会議では、気候変動枠組条約（温暖化防止条約）が採択された。

3　アメリカのオバマ元大統領は、在任中に気候変動に関する啓発活動が認められ、2007年にノーベル平和賞を受賞した。

4　COP 3 において採択された京都議定書は、我が国やアメリカなど多くの先進国が批准した。

5　COP21において採択されたパリ協定に、アメリカや中国といった大国は批准しなかったため、我が国も批准しなかった。

重要度	★★★	解答時間	3分	正解	2

解 説 **1992年にリオデジャネイロで開かれた国連環境開発会議は気候変動枠組条約を採択、世界的な環境問題取組みの出発点となる。**

✕**1** UNESCO ではなく、UNEP（国連環境計画）。UNESCO は国連教育科学文化機関のこと。

◯**2** この国連環境開発会議は通称「地球サミット」とも呼ばれる。172か国が代表団を送る全世界的な会議であった。

✕**3** オバマ元大統領ではなく、ゴア元副大統領。ゴア氏はクリントン政権の副大統領を務めた一方で、環境問題の専門家でもあり、映画『不都合な真実』を始めとした啓発活動の功績により、2007年にノーベル平和賞を受賞した。

✕**4** アメリカは批准前の2001年に離脱している。日本は2002年に批准、ロシアが2004年に批准し、2005年2月に京都議定書は発効した。

✕**5** パリ協定は京都議定書の後を受けて定められた気候変動に関する国際的な枠組みであり、アメリカ、中国、日本も批准した。

POINT 整理

- 京都議定書…1997年に京都で開催された気候変動枠組条約第3回締約国会議（UNFCCC-COP3）において採択された議定書。温室効果ガスの排出量を1990年に対して2008〜12年の間に5.2％削減するというもので、法的拘束力をもつ。さらに、国別に削減目標が定められたが、アメリカが離脱、また、中国やインドなどの主要排出国が削減義務を負わないことにより、世界全体としての取組みにはならなかった。

- パリ協定…2015年、パリで開催された気候変動枠組条約第21回締約国会議（UNFCCC-COP21）において採択された協定。世界の平均気温の上昇を2℃未満に抑えることを目標に、21世紀後半には温室効果ガス排出量をゼロにしていくというもの。各国は5年ごとに目標を見直し、国連へ提出することなども定められた。協定には世界のほとんどの国が参加した。アメリカは、トランプ前大統領在任時に一時離脱したが、2021年、バイデン政権のもと復帰した。

SECTION 1 社会科学 攻略法

政治

一般的な時事の知識が求められます。

- 新しい法律などは必ずチェックしておいてください。
- 基本的な国会や内閣、裁判所のしくみ、憲法に関する事項、選挙制度などは復習が大切です。
- 白書などから統計的な数字を把握しておきましょう。

経済

国内経済、国際経済ともに出題されます。

- 最近よく耳にする経済用語などは意味をしっかり理解しておきましょう。
- 景気、金融対策などは流れをつかんでおいてください。
- 統計の数値もおおまかな特徴を把握しておきましょう。

社会

政治、経済以外の社会一般の事項がすべて含まれます。

- 京都議定書に続く2020年以後の温暖化対策「パリ協定」の枠組みや SDGs にも注目です。
- 最新の科学技術用語もおさえておいてください。
- 「老人福祉」「児童福祉」関連の問題もしっかり把握しておきましょう。
- 保険、医療、年金のことがらは常に要チェックです。

社会科学に関しては、常に新聞に目を通す習慣を身につけるようにしましょう。気になる事項や試験に出題されそうな記事は、切り抜いてスクラップしておいたり、インターネットでチェックしたりしておくと便利です。

SECTION ❷

人文科学

教養試験として、とくに一般的な内容が問われます。高校までの総復習的な勉強をしておくことが大切です。

4 日本史

荘園の発達に関する記述として、最も妥当なのはどれか。

1　開発領主とは、大規模な土地の開発を行い私領とした、大名田堵や地方豪族などのことである。

2　寄進地系荘園とは、領家とよばれる荘官が、本家とよばれる貴族や寺社などに寄進した土地のことである。

3　荘園のうち、太政官符や民部省符によって官物や臨時雑役の免除を認められた荘園を国免荘と呼んだ。

4　荘園領主のなかには、国衙から派遣される検田使の立ち入りを拒否する不輸の特権を得る者もあった。

5　醍醐天皇は1069年に延久の荘園整理令を出し、記録荘園券契所を設けて、基準に合わない荘園を停止した。

| 重要度 | ★★★ | 解答時間 | 3分 | 正解 | 1 |

解説 開発領主は農村などにいて、開墾を行った田畑の所有者。出身階層は大名田堵や地方豪族など。

○1 田堵とは、荘園などの田畑の耕作請負人のこと。多くの人を使い大規模経営を行った者を大名田堵といった。

×2 寄進地系荘園とは、開発領主らが国司からの圧迫を逃れるため、所有地を中央の権力者に名目上寄進し、自らの利権を確保した荘園のこと。

×3 設問文は官省符荘のことである。官省符荘は、太政官の指令に基づき発せられた民部省の符(符は上級の役所から下級の役所へ出す命令文書)によって免租された荘園のこと。国免荘は国司によって免租された荘園のこと。

×4 設問文は不入のことをいっている。不輸は開墾地を中央の権力者に寄進して、国司に租税を納めない特権。検田使とは、国衙(国司の役所)から土地の調査のために派遣される役人のこと。

×5 正しくは後三条天皇のこと。荘園の所有者から証拠書類を提出させ、年代の新しい荘園、書類不備の荘園などを停止した。後三条天皇は全盛だった藤原氏と外戚関係がないため、国政改革に取り組み、藤原氏の権力の抑制を図った。

POINT 整理

荘園に関係する歴史用語

- 領家…寄進地系荘園で、開発領主らが領有権を差し出した有力貴族や有力寺社のこと。
- 本家…寄進地系荘園で、領家となった貴族らが領有権をさらに上級の有力者に差し出した場合の名目上の上級領主のこと。摂関家や皇族が多かった。
- 荘官…荘園の管理者。寄進地系荘園では、開発領主が貴族らに領有権を寄進して、荘官となって強力な支配権をもった。
- 荘園整理令…荘園の増加を抑え、縮小させるための法令。902年以降、たびたび出された。延久の荘園整理令は1069(延久元)年。

過去2 鎌倉時代の政治体制に関する記述として、最も妥当なのはどれか。

1 源頼朝は、関東武士団と所領支配を通じて成立する封建関係と呼ばれる主従関係を結び、彼らを御家人として組織した。

2 鎌倉幕府は、支配機構として、中央に侍所、政所及び公文所を置き、地方には各国ごとに国司と郡司を置いた。

3 将軍職は、三代将軍実朝が暗殺された後は置かれず、後継となった北条氏は将軍に変えて執権の名で幕府を統率した。

4 後醍醐天皇が惹き起こした承久の乱を契機に、鎌倉幕府の支配は全国に及び、朝廷に対する政治的優位が確立した。

5 北条泰時の時代に確立した執権政治とは、政治の決定や裁判の判決などの権限を執権一人に集権する幕府政治の体制をいう。

| 重要度 | ★★★ | 解答時間 | 3分 | 正解 | 1 |

 源頼朝らの将軍と御家人との主従関係が、鎌倉幕府による政治体制の根本となった。

○**1** 御家人は将軍に対して奉公に励み、将軍は御家人を地頭に任命することなどにより、御恩をほどこした。

×**2** 公文所ではなく、問注所。侍所は御家人を組織し統制する機関（軍事・警察部門）。政所は一般政務や財政事務をつかさどる機関で初めは公文所と呼ばれた。問注所は裁判を担当する機関。国司と郡司ではなく守護と地頭。

×**3** 実朝暗殺後も、名目上の将軍職は置かれた。執権として実権を握った北条氏は摂関家や皇族出身者を将軍とした。摂関家出身の将軍は藤原将軍、または摂家将軍、皇族出身の将軍は皇族将軍と呼ばれたが、いずれも実権はなかった。

×**4** 後醍醐天皇ではなく、後鳥羽上皇（天皇）。承久の乱は1221（承久3）年に起こった後鳥羽上皇による鎌倉幕府打倒を目指した乱である。結果は北条氏の鎌倉幕府側の勝利となり、後鳥羽上皇らは隠岐（島根県）などに流された。以後、朝廷側の勢力は弱まった。後醍醐天皇は鎌倉幕府滅亡後、建武の新政を行ったが、足利尊氏らの反乱により、3年足らずで失脚した。

×**5** 執権一人に権力を集中させたのではなく、合議制という形をとった。合議制の中心となったのが評定衆と呼ばれた役職で、北条氏一族や有力御家人から選ばれた。

 POINT 整理

封建制度のしくみ

鎌倉幕府将軍

（奉公）
・京都・鎌倉の警備
・戦への参加
・役所・寺社の造営

主従関係

（御恩）
・領地の支配の保証（本領安堵）
・新たな領地の付与（新恩給与）
・守護・地頭への任命

御家人

過去 3 A～Eは江戸幕府の将軍であるが、A～Eを将軍就任の順に並べると、3番目にくるのはどれか。

将軍A：保科正之、松平信綱らの補佐を受け、末期養子の禁の緩和、殉死の禁止など武断政治から文治政治へと転換した。明暦の大火で江戸の大半が消失すると、それを契機に、江戸をその急速な成長に合わせて拡張、再開発した。

将軍B：松平定信を登用し、寛政の改革を断行させたが、松平定信の退陣後は、将軍または大御所として政治の実権を握った。貨幣改鋳が経済活動を活発化させ、文化は一気に爛熟化し、江戸を中心に享楽的な化政文化を生んだ。

将軍C：幕政改革を行い、年貢の増徴、新田開発、倹約などにより、逼迫した幕府財政の立て直しを図った。また、官僚機構の整備、目安箱、小石川養生所、町火消の設置を行うなど、政治、経済、社会全般にわたる政策を展開した。

将軍D：大老堀田正俊の補佐のもと文治政治を行うが、後に側用人柳沢吉保らを重用した。戦国以来の武力に頼って上昇を図ろうとする価値観を、生類憐み令と服忌令により、社会全体の価値観ごと変化させた。

将軍E：武家諸法度の発布、参勤交代の義務づけ、軍役の賦課など、将軍への権力の一元化を推進し、法制・職制・兵制などの諸制度を整え、幕藩体制を完成させた。また、キリスト教の禁教を強化し、鎖国令で貿易を管理した。

1 A
2 B
3 C
4 D
5 E

| 重要度 | ★★ | 解答時間 | 3分 | 正解 | 4 |

 解説 将軍E→将軍A→将軍D→将軍C→将軍Bの順になる。

将軍A：第4代将軍徳川家綱のこと。病弱で、自ら政治を行うことは少なく、ほとんどを保科正之、松平信綱、酒井忠勝などの側近に任せた。

将軍B：第11代将軍徳川家斉についての記述。実権を握っていた時代は大御所時代と呼ばれ、年号では文化・文政時代（化政文化の時代）に相当する。

将軍C：第8代将軍徳川吉宗で、文中の幕政改革とは、享保の改革のことである。目安箱は投書箱の一種で、多くの人々の意見を聞くために設けたもの。また、設問には出ていないが、吉宗の政策の代表的なものとして、公平な裁判のための法律であった公事方御定書もある。

将軍D：生類憐み令といえば、第5代将軍徳川綱吉である。学識の深い人物であったが、極端な動物保護の法律である生類憐み令などによって、社会の混乱を招いた。服忌令とは、父母や親族が死んだときの忌引などの日数を定めた法令のこと。

将軍E：第3代将軍徳川家光のことを述べている。将軍としての在職期間は1623～51年。参勤交代の制度は、大名が1年おきに家臣を連れて江戸にのぼって将軍に会うという制度で、これにより大名の出費はかさみ、藩の財政にとって大きな負担となった。

POINT 整理

江戸幕府のしくみ

　幕府の最高権力者で、政治の実権をもつ将軍のもと、老中、若年寄などが政治の運営にあたった。また、大目付、町奉行、勘定奉行、遠国奉行、寺社奉行などがそれぞれの仕事を分担して行った。

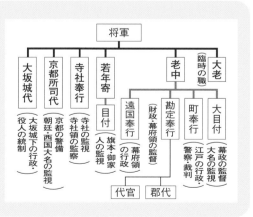

過去 4 日本の銀行の歴史についての記述として、妥当なものはどれか。

1 1872年、後藤新平、伊藤博文が中心となって、アメリカのナショナル＝バンクの制度に倣い、政府は国立銀行条例を公布した。この条例では、発行銀行券の正貨兌換を義務にせず、商人・地主や華士族による銀行設立希望が殺到したため、1879年に設立が打ち切られたが、同条例に基づいて、三井銀行など、後の五大銀行となる銀行が設立された。

2 日露戦争の勝利でロシアから巨額の賠償金を得た政府は、これをもとにして戦後経営を進め、金融・貿易などの面から産業の振興を図り、1906年には貨幣法を改正し、金銀複本位制を確立することで貨幣価値の安定と貿易の発展を図った。また、特定の分野に資金を供給する特殊銀行の設立を進め、日本勧業銀行、日本興業銀行などが設立された。

3 1919年から貿易の輸入超過、1920年の株式市場の暴落を口火にした戦後恐慌、1923年の関東大震災で経済は大きな打撃を受け、銀行手持ちの手形が決済不能となった。銀行は日本銀行の特別融資で一時をしのいだが、その後も不況が続いて決済は進まず、1927年には、取付け騒ぎが起こって銀行の休業が続出した。

4 1920年代の日本経済は多くの産業分野で企業の集中・カルテル結成・資本輸出の動きが強まった。その中で、三井、三菱、住友、富士、第一の五大銀行が金融界で支配的な地位を占めるなど、財閥はこの時期には主として金融・流通面から産業支配を進め、政党との結びつきも深めていったが、世論は景気回復への取り組みとして、その動きを支持した。

5 第二次世界大戦後、1945年11月の持株会社解体指令や1947年12月の独占禁止法などを通して、総司令部（GHQ）による財閥解体が行われた。銀行は当初、独占禁止法による分割の対象にされていたが、実際の分割からは免れたため、後に旧財閥系の各社は、銀行を中心に新企業集団の形成に向かった。

重要度	★★	解答時間	4分	正解	3

 解 説 第一次世界大戦後、日本の銀行は深刻な状況に陥っていった。

×**1** 国立銀行条例公布の際の中心人物は渋沢栄一である。この条例は、発行銀行券の正貨兌換を義務付けていたので、民間銀行の設立はわずか4行にすぎなかった。そのため、政府は1876年に条例を改正し、発行銀行券の正貨兌換の義務付けをやめた。すると、商人・地主や華士族の設立希望者が殺到した、という経緯がある。

×**2** 日露戦争で日本は勝利したものの、ロシアから賠償金を取ることはできなかった。また、日本の金融制度が確立したのは、日露戦争よりも前である（下の表を参照）。

○**3** この混乱によって、若槻内閣は総辞職した。

×**4** 1920年代の日本の経済の動きを記述したものだが、財閥の動きを世論が支持したというのは誤り。不況で失業者が増え、東北地方などの農村は惨状をきわめた。そして、労働争議や小作争議が急増、政党や財閥を非難する世論の声が高まっていった。

×**5** 財閥解体の主な目的は、財閥の持株会社の解散、財閥家族・同族による支配の廃止であった。1947年12月、過度経済力集中排除法が定められ、鉱工業や配給・サービス業などの財閥系企業が排除の対象となったが、銀行はその対象外であった。なお、独占禁止法は1947年4月、成立。

POINT 整理

日本の金融制度が確立するまでの動き

1871	新貨条例制定 円・銭・厘、金銀複本位制	1881	松方財政はじまる
1872	国立銀行条例制定 正貨兌換の銀行券発行	1882	日本銀行条例制定 発券銀行として、紙幣整理。
1876	国立銀行条例改正 発行する銀行券の正貨兌換はせず、 銀行の設立続く。	1885	銀兌換制度成立 銀本位制の確立
		1894 〜95	日清戦争 清から多額の賠償金を得る。
1877	西南戦争 戦費負担などにより不換紙幣が急 増し、インフレとなる。	1897	金本位制の確立 金との兌換制度の確立

幕末から明治維新までの次のA～Eの出来事を年代順に並べたものとして、妥当なものはどれか。

A 王政復古の大号令　　B 版籍奉還　　C 五箇条の御誓文
D 大政奉還　　E 廃藩置県

1 D→A→C→B→E
2 C→A→B→E→D
3 B→E→D→A→C
4 A→D→E→B→C
5 B→D→E→C→A

重要度	★★★	解答時間	2分	正解	1

 大政奉還→王政復古の大号令→五箇条の御誓文→版籍奉還→廃藩置県

A 1867（慶応3）年12月、明治天皇により布告。王政復古とは、幕府に委任されている政権を朝廷に返上すべきであるという政治思想。大久保利通、西郷隆盛、岩倉具視ら倒幕派は、徳川慶喜が大政奉還後も政治の実権を握ることを警戒、王政復古の大号令により、慶喜を新政権から排除した。

B 1869（明治2）年の政策。大名に支配されていた領地（版）と領民（籍）を朝廷に返上すること。しかし、その後も藩は存続し、藩主も知藩事（知事）として残ったので、新政府の中央集権体制は徹底されなかった。

C 1868（慶応4）年3月、明治天皇が神に誓う形で発表。「古い習慣を改め、世界に目を向け、新しい日本をつくっていく」という、新政府の基本方針を示す。

D 1867（慶応3）年10月、江戸幕府第15代将軍徳川慶喜が、政権を朝廷に返上したことをいう。これによって、250年以上続いた江戸幕府が終わった。しかし、徳川慶喜は政権返上後も新政府で強大な実権を握る考えだった。

E 1871（明治4）年に行われた、中央集権化を徹底する政策。藩を廃止し、府県を置き、旧藩主の知藩事の職を解き、新たに府知事・県令（県知事）を任命した。これにより、新政府の権限が全国に行き渡るようになった。

第二次大戦期の日本に関する記述として、妥当なものはどれか。

1 1937年の柳条湖事件を発端として日中戦争が勃発した。
2 日本は1940年にドイツ、イタリアと日独伊三国防共協定を結んだ。
3 1941年10月に成立した近衛文麿内閣は太平洋戦争を開始した。
4 日本の南進政策に対し、イギリス、中国、アメリカ、フランスの4か国による対日経済封鎖包囲網がとられた。
5 1945年、戦争の終結を図るために鈴木貫太郎内閣が成立し、ポツダム宣言の受諾を決定した。

重要度	★★★	解答時間	2分	正解	5

解 説 鈴木貫太郎内閣は、戦争終結が最大の目標であった。

✕1 正しくは盧溝橋事件。盧溝橋とは北京郊外に架かる橋。柳条湖事件は満州事変の発端。柳条湖とは奉天（現在の瀋陽）郊外の地名。

✕2 日本が1940年に結んだのは、日独伊三国軍事同盟。

✕3 1941年10月に成立した内閣は、東条英機内閣。

✕4 対日経済封鎖包囲網は ABCD 包囲網と呼ばれ、A は America（アメリカ）、B は Britain（イギリス）、C は China（中国）、D は Dutch（オランダ）をあらわす。

○5 1945年9月、アメリカ軍艦ミズーリ号上で降伏文書に署名した。

紛らわしい歴史用語・人名

日独防共協定（1936）
日独伊三国防共協定（1937）
日独伊三国軍事同盟（1940）
近衛文麿内閣（1937.6～39.1、40.7～41.7、41.7～41.10)…1937.7～日中戦争
東条英機内閣（1941.10～44.7）…1941.12～太平洋戦争

満州事変…柳条湖事件(1931)が発端。
日中戦争…盧溝橋事件(1937)が発端。

過去 7 次のア〜オは遣隋使・遣唐使に関する記述であるが、正しい記述の組み合わせとして、妥当なものはどれか。

ア　隋との交渉では、倭の五王時代とは異なり、中国の王朝に対し、対等の立場ではなく、上位に立っていたことが「日出づる処の天子……」という国書の記述からわかる。

イ　遣隋使には高向玄理・吉備真備など多くの留学生や学問僧が従った。彼らの隋で得た知識は帰国後、大化の改新にはじまる国政改革に大きな役割を果たした。

ウ　遣唐使の渡航は航海・造船技術の未発達もあり非常に危険であったが、阿倍仲麻呂や藤原清河のように帰国できず唐朝につかえて一生を終えた者もいた。

エ　894年菅原道真の建議によって遣隋使が廃止されたのは、隋の衰退が著しくなり、多くの犠牲を払ってまで公的な交渉を続行する必要性が低下したことによる判断である。

オ　遣唐使は唐に多くの留学生・学問僧を送り出しただけでなく、多くの唐僧の渡来にも貢献した。鑑真はその代表で、戒律を伝え、日本の仏教発展に貢献し、後に唐招提寺を開いた。

1　ア、ウ
2　イ、オ
3　ウ、オ
4　イ、エ
5　ア、エ

| 重要度 | ★ ★ | 解答時間 | 3 分 | 正解 | 3 |

 解説 当時、遣隋使・遣唐使の渡航はたいへん危険な航海であった。

× ア 日本は隋に対して上位に立っていたわけではなく、対等の立場に立とうとしたのである。「日出づる処の天子、書を日没する処の天子に致す。恙無きや」で知られる国書は、厩戸王（聖徳太子）が隋の皇帝煬帝に宛てたもの。煬帝はこの手紙を見て、無礼であると激怒した。

× イ 高向玄理に関する記述は正しいが、吉備真備の記述が誤り。吉備真備は遣唐使。717～735年に唐に留学した。真備は菅原道真と並ぶ学者・政治家として知られる。高向玄理は渡来人の子孫で、飛鳥時代の学者。608年に遣隋使の小野妹子らに従い、留学生として隋に渡る。大化の改新後、新しい政府の国博士となり、654年に遣唐使として唐に渡り、長安で死去。

○ ウ 遣唐使は630年、犬上御田鍬の派遣から始まった。

× エ 894年に廃止されたのは、遣唐使である。隋王朝は短命で、581～618年、2代の皇帝と38年で滅んだ。また、遣唐使を廃止したことによって、中国の文化が流入しなくなり、そのかわりに日本の貴族たちが、それまでの文化を日本人の好みや生活に合わせていく工夫を行い、国風文化と呼ばれる日本独自の文化が発達した。

○ オ 唐招提寺は律宗の寺院で、天平美術を代表する建築の一つである。

歴史上の日中関係

日本と中国との関係年表

57	倭の奴国王が漢に使いを送る	1404	足利義満が勘合貿易（日明貿易）を開始
239	卑弥呼が魏に使者を送る	17世紀前半	朱印船貿易
478	倭王武が南朝に使いを送る		
600ごろ	厩戸王（聖徳太子）らにより遣隋使の派遣が始まる	1639	鎖国（オランダ、清とは貿易を行う）
630	遣唐使の派遣が始まる	1871	日清修好条規
894	遣唐使が廃止される	1894	日清戦争（～95）
12世紀後半	平清盛の日宋貿易	1937	日中戦争（～45）
1274	文永の役 ┐蒙古襲来（元寇）	1972	日中国交正常化
1281	弘安の役 ┘		

過去 **1**
18世紀のヨーロッパに関する記述であるが、空所A〜Cにあてはまる語句の組み合わせとして、妥当なものはどれか。

　18世紀初めにヨーロッパの東西で起こった二つの戦争は、ヨーロッパの国際関係の再編をもたらした。西方で戦われた（　A　）は、国際関係の基軸が今や、16世紀以来のハプスブルク家とフランスとの対立から、イギリスとフランスの対抗関係に移ったことを示した。この戦争で、海上支配の拠点を支配したイギリスは、ヨーロッパでは各国の勢力均衡に努めるようになる。

　一方、東方では、（　B　）で領土を拡大して強国となったスウェーデンが、ロシアとの（　C　）にやぶれて衰退した。ロシアは、シベリアや黒海へ進出するとともに、西欧諸国との政治・経済関係を深めるようになった。

	A	B	C
1	ユグノー戦争	百年戦争	ばら戦争
2	スペイン継承戦争	三十年戦争	北方戦争
3	七年戦争	イタリア戦争	諸国民戦争
4	ばら戦争	北方戦争	百年戦争
5	イタリア戦争	オーストリア継承戦争	七年戦争

重要度	★★	解答時間	3分	正解	2

解説 **18世紀、産業革命の起こったイギリスは、勢力を拡大していった。**

A スペイン継承戦争…1701〜14年。フランス・スペインとイギリス・オーストリア・オランダとが衝突した戦争。スペイン王家の断絶に乗じ、フランスのルイ14世が孫のフィリップをスペイン王にしようとしたことが発端。1713年のユトレヒト条約においてフィリップの王位は承認されたが、その後、フランス王室の財政状態は悪化。イギリスはスペインからジブラルタル、フランスからカナダの一部などを獲得し、勢力を伸ばした。

B 三十年戦争…1618〜48年。ドイツの新教・旧教両派の諸侯の争いとして始まる。その後、全ヨーロッパを巻き込み、宗教色より政治色が強くなった。1648年のウェストファリア条約で終結したが、長年の戦乱のため、ヨーロッパの国土は荒廃。ドイツでは皇帝の権力が弱まり、その後、小国家の分裂状態が続く。フランスやスウェーデンは領土を拡大した。

C 北方戦争…1700〜21年。スウェーデンとロシア・デンマーク・ポーランドとの戦争。勝利したロシアはバルト海東岸に進出、ペテルブルグを建設し、首都とした。その後、ロシアはヨーロッパの国際政治に登場する。

ヨーロッパで起きた主な戦争

- ユグノー戦争…1562〜98年。フランスの宗教内乱。1572年、新教徒が旧教徒に殺害されたサン＝バルテルミの虐殺が起こる。ナントの勅令で収拾された。

- 七年戦争…1756〜63年。フランスと結んだオーストリアと、イギリスの援助を受けたプロイセンとの戦い。英仏の植民地戦争にも発展した。

- ばら戦争…1455〜85年。イギリスの内乱。ランカスター家に属するヘンリー7世がヨーク家を倒し、王位につき、絶対王政の基礎を築いた。

- イタリア戦争…1521〜44年。イタリアの支配をめぐってのドイツ皇帝、スペイン王、フランス王などの争い。広義では1494〜1559年。

- 百年戦争…1339〜1453年。英仏間の戦争。初めはイギリスが優勢であったが、農家の娘ジャンヌ＝ダルクがフランスを窮地から救い、フランスが勝利。両国とも諸侯・騎士の力が衰え、国王の権力が強まる。

- オーストリア継承戦争…1740〜48年。オーストリア皇女マリア＝テレジアの王位継承にプロイセン、フランス、スペインが反対。英はオーストリアを助け、王位継承は承認された。

- 諸国民戦争…1813年。プロイセン・オーストリア・ロシア同盟軍がナポレオン軍をやぶった戦争。

過去 2	イギリス革命と立憲政治の成立過程に関する記述として、最も妥当なのはどれか。

1　王権神授説を唱えていたジェームズ1世に対し、議会は貴族と結んで、議会の同意なしに課税しないことなどを内容とする大憲章を認めさせた。

2　国王の専制政治を国民の歴史的な権利に基づいて批判した権利の請願によって、内閣が国王にでなく、議会に対して責任を追う責任内閣制度が成立した。

3　クロムウェルは、独立派を議会から追放し、ピューリタンを弾圧する一方で国王を処刑して共和政をうちたてたが、議会王党派によって追放された。

4　王政復古後の議会は、王権と国教徒を擁護するホイッグ党と、議会の権利を守ろうとするトーリー党という二大政党によって支配された。

5　議会に招かれたオランダ総督ウィレム夫妻は、議会のみが立法権を持つことを明記した権利の宣言を承認し、共同で王位に就き、権利の章典を発布した。

重要度	★★★	解答時間	3分	正解	5

 イギリス王女メアリと夫のオランダ総督ウィレムは、共同統治の王として議会に迎えられ、権利の宣言を承認、権利の章典を発布。

✕**1** ジェームズ1世ではなく、チャールズ1世。大憲章ではなく、権利の請願である。ジェームズ1世はチャールズ1世の父で、ともに王権神授説を主張した。大憲章（マグナカルタ）は、1215年にジョン王の悪政に対して貴族たちが認めさせたもの。

✕**2** 権利の請願は「議会の同意なしに課税しないこと」などを国王に求めたもの（**1**参照）。責任内閣制は18世紀前半のジョージ1世の時代、ウォルポール首相のもとで成立した。

✕**3** クロムウェルは独立派、熱烈なピューリタンでもあった。ピューリタン革命で王党派を撃退し、チャールズ1世を処刑、軍事独裁を行った。対外的にはアイルランド、スコットランドを征服、オランダとの戦争に勝利した。

✕**4** 王権と国教徒を擁護したのはトーリー党。支持層には国教会聖職者や保守的な地主が多かった。ジェームズ2世を排除し、議会の権利を守ろうとしたのがホイッグ党。支持層には革新的な貴族、商工業者が多かった。トーリー党は後に保守党、ホイッグ党は自由党へと発展した。

○**5** 議会が主権を握る立憲王政が確立、絶対王政は消滅した（名誉革命）。

POINT 整理

イギリス革命の流れ

1621	ジェームズ1世の専制政治に下院が抗議→国王と議会の対立	1679	人身保護法（不当な逮捕・投獄の禁止）
28	権利の請願成立	88	名誉革命（〜89）
42	ピューリタン革命（〜49） クロムウェル独裁（〜58）	89	ウィリアム3世・メアリ(2世)即位 権利の宣言、権利の章典
60	王政復古→国王と議会、再び対立	1714	ハノーヴァー朝（ジョージ1世）
73	審査法（非国教徒の公職就任禁止） この頃、二大政党制の萌芽	21	ホイッグ党ウォルポール首相のとき、内閣が議会に責任を負う責任内閣制成立「国王は君臨すれども統治せず」

中国における内乱に関する記述として、妥当なものはどれか。

1　紅巾の乱は、後漢末の農民反乱である。太平道の教祖張角が指導し、悪政と天災に苦しむ貧窮農民が紅色の頭巾をつけて参加した大反乱で、華北一帯に波及した。後漢は豪族の協力で主力を鎮圧したが、呼応した諸反乱が相次いだ。これ以後、中央の政治は乱れ、各地の武将も自立し、後漢の滅亡は決定的となった。

2　黄巣の乱は、安禄山の反乱に呼応して黄巣が指導した唐末の農民反乱である。圧政や飢饉を背景として、流民、群盗が主力となった。安禄山の死後は、黄巣がその軍を吸収して四川以外の全土を荒らし、880年に長安を占領して帝位につき国号を大斉としたが、藩鎮や突厥の軍事力で鎮圧された。

3　黄巾の乱は、元末の白蓮教などの宗教結社を中心にした農民反乱である。黄色の頭巾を目印とした。黄河治水工事に徴発された農民を韓山童が弥勒下生説で扇動して反乱を計画したが、未然に発覚して殺害されたため、子の韓林児が指導して、農民反乱に発展したが、朱全忠が鎮圧した。

4　三藩の乱は、明の康熙帝による抑圧に対しておこされた、漢人武将の反乱である。明の武将となって中国の平定に功を立て、雲南に駐屯した呉三桂、広東の尚可喜、福建の耿継茂を三藩と呼び、一大勢力であった。この反乱で明朝支配は一時危機におちいったが、康熙帝は巧みに鎮圧し、中国支配を確立した。

5　太平天国の動乱は、清末におこった中国近代史上最大の反乱である。洪秀全を指導者として広西省で挙兵し、太平天国を建てた。その後、湖南・湖北に進出し、南京を攻略し天京と改称して首都とした。さらに北伐を進めると共に、華中の支配を図ったが、清朝側に立った郷勇や外国人の指揮する義勇軍などにより鎮圧された。

重要度	★★	解答時間	3分	正解	5

 解 説 黄巾の乱と紅巾の乱、朱全忠と朱元璋などを混同しないように。

×**1** 紅巾の乱→黄巾の乱（184年）。この反乱に参加した農民たちは、標識として黄色の布をつけていた。太平道とは、張角が組織した宗教団体。

×**2** 黄巣の乱（875～884年）の記述ではあるが、王仙芝の反乱に黄巣が呼応した。この乱を鎮圧したのは朱全忠や李克用である。安禄山は皇帝の玄宗と楊貴妃に取り入った人物で、755年に安史の乱をおこし、洛陽を占領した。この乱の後、唐は衰えていった。

×**3** 黄巾の乱→紅巾の乱。1351～66年におきた農民反乱で農民たちは紅色の頭巾を標識とした。また、朱全忠→朱元璋。彼は1368年に明を建国し、初代皇帝となる。朱全忠は黄巣の乱で活躍した人物。

×**4** 明→清。清は漢民族ではなく、満州族の王朝であったので、それに不満をもつ漢人（漢民族）も多かった。康熙帝は清の第4代の皇帝で、名君といわれる。

○**5** 1851年、太平天国を建て、洪秀全は自らを天王と称した。

▶▶ 明・清の時代

明…朱元璋は貧農の出身だったが、明を建国して、初代皇帝の洪武帝となった。室町幕府の足利義満が南北朝を統一したのは、洪武帝の晩年にあたる。

清…1616年、ヌルハチが後金を建国。36年、ホンタイジが国号を清とし、44年には明が滅びて、清朝が中国を支配する王朝となった。

明（1368～1644）	
1368	朱元璋の即位　明建国
99	靖難の変（～1402）
1402	成祖・永楽帝即位
05	鄭和の南海遠征（～33）
49	土木の変
1500前後	北虜南倭盛ん
73	張居正　政治改革
	一条鞭法を全国的に実施
82	マテオ・リッチ来朝
1616	ヌルハチ　後金建国
36	国号を清とする
44	李自成　明を滅ぼす
45	辮髪令

清（1616～1912）	
1661	聖祖・康熙帝即位
73	三藩の乱（～81）
83	台湾平定
89	ネルチンスク条約
1715	カスティリオーネ来朝
20頃	地丁銀　全国的に実施
27	キャフタ条約
32	軍機処設置
93	英使マカートニー来朝
1840	アヘン戦争（～42）
51	太平天国の乱（～64）
56	アロー戦争（～60）
60頃	洋務運動・同治中興
94	日清戦争（～95）
1911	辛亥革命
12	清朝滅亡

　第一次世界大戦の時期に関する記述として、最も妥当なのはどれか。

1　ドイツは、1882年にオーストリア、イタリアと三国同盟を結び、第一次世界大戦もこの三国が同盟国側として戦った。

2　第一次世界大戦が勃発すると、ドイツ側の同盟国に、オスマン帝国、ブルガリア、スペインが参加した。

3　第一次世界大戦は戦場がヨーロッパであったので、日本は参戦したものの、その役割は軍需品輸送などの後方支援にとどまった。

4　開戦当初、アメリカは中立の立場であったが、ドイツが無制限潜水艦作戦を宣言し、中立国の船舶を攻撃したことをきっかけに、ドイツに宣戦した。

5　ロシアは第一次世界大戦中に革命が成功して社会主義国家となり、新政府はドイツと単独講和を結び、ヴェルサイユ条約を締結したパリ講和会議でも主導権を握った。

| 重要度 | ★★★ | 解答時間 | 3分 | 正解 | 4 |

 ドイツの無制限潜水艦作戦とは、軍艦だけでなく、商船に対しても、敵国、中立国を問わず無警告で攻撃を行うというものだった。

✕1 イタリアはのちに連合国側について参戦している。

✕2 オスマン帝国、ブルガリアがドイツ側の同盟国だったのは正しいが、スペインは中立を守った。

✕3 日本軍はドイツ軍と実際に戦闘を行っている。戦場となったのは、中国の山東半島のドイツ租借地の青島(チンタオ)などである。ただし、第一次世界大戦における日本軍の戦闘は、国を挙げての大規模なものではなく、局地的な戦闘であった。

○4 1915年2月、ドイツは無制限潜水艦作戦を宣言し、5月、ドイツ海軍の潜水艦Uボートはイギリス商船を撃沈した。130名ほどのアメリカ人も犠牲となり、アメリカとドイツの関係は緊張した。9月にドイツはこの作戦を中止したが（17年2月に作戦復活）、この作戦がアメリカの参戦を招く一因となった。

✕5 パリ講和会議の主導権を握ったのは、イギリス、フランス、アメリカの3国であった。

 ## 第一次世界大戦後の国際協調

- **ヴェルサイユ体制**…1919年のパリ講和会議で締結されたヴェルサイユ条約に基づく、新しいヨーロッパの国際秩序。

  目的…ドイツなどの敗戦国が再起することの防止→ドイツへの締めつけ→軍備制限、ラインラント非武装、多額の賠償金を課す。

- **ワシントン体制**…1921～22年のワシントン会議で締結された海軍軍縮条約、四カ国条約、九カ国条約に基づく、新しい太平洋地域の国際秩序。

  目的…新たにアジアで勢力を伸ばす日本をおさえること→日本の海軍力を制限、日英同盟の破棄、中国での日本の動きを制限。

20世紀後半に起こった出来事に関する記述として誤っているものはどれか。

1 　イラン・イラク戦争は、国境問題が原因で勃発した地域紛争である。国内の
シーア派へのイラン革命の波及を口実に、イラクのサダム＝フセインがイラン
に侵攻、開戦した。戦線は膠着、長期化した。

2 　ヴェトナム戦争は、南ヴェトナムでの内戦にアメリカが政府軍を支援、介入
して始まった。アメリカは大規模な地上戦、北ヴェトナムをも含む大規模な空
爆を繰り返したが、南ヴェトナム解放民族戦線と北ヴェトナムは中国、ソ連の
支援を受け泥沼化した戦争を戦い抜いた。

3 　キューバ危機は、ソ連がキューバにミサイル基地を建設していることをアメ
リカが発見し、ニクソン大統領がその撤去を求めて海上封鎖を行った。ソ連が
これに反発し、米ソの緊張が高まったが、最終的にはソ連のブレジネフ書記長
がミサイル基地の撤去を通告し、危機から脱した。

4 　天安門事件は、ソ連の自由化の進展を背景に中国でもより一層の自由化を求
める機運が高まり、天安門広場で100万人規模のデモに発展したことから、李
鵬らの保守派が軍隊を使ってこれを弾圧した事件である。

5 　フランスの五月危機は、パリの学生・労働者・革命的市民を中心とした大規
模な反ド＝ゴール体制運動である。大学紛争から労働団体のゼネストとなり政
治危機が高まった。6月の総選挙のド＝ゴール派の大勝で収拾をみたが、翌年
ド＝ゴールは退陣した。

| 重要度 | ★★★ | 解答時間 | 3分 | 正解 | 3 |

 解説 　**キューバ危機では、アメリカはケネディ、ソ連はフルシチョフが
中心となった。**

○1 1980〜88年。国境問題の小競り合いから始まり、国連が仲介に努めたが効
果はなく、戦争は長期化し、一進一退を繰り返した。1988年8月に停戦。
イラクは大統領サダム＝フセイン、イランは最高指導者ホメイニが中心。

○**2** 1965〜75年。南ヴェトナムでは、インドシナ半島の共産主義化を警戒するアメリカの支持を受けた政府軍と、共産主義勢力の南ヴェトナム解放民族戦線の内戦が起こっていた。そして1965年から、アメリカは北ヴェトナムへの攻撃（北爆）を開始。しかし、戦争は長期化し、アメリカは国際世論から批判され、アメリカ国内でも反戦ムードが高まり、1973年にヴェトナムから撤退。75年、北ヴェトナム軍がサイゴン（現在のホーチミン）を占領、76年にヴェトナム社会主義共和国が成立、ヴェトナムは統一された。

✕**3** 1962年10月。アメリカ大統領はケネディ、ソ連の第一書記はフルシチョフであった。キューバ危機では武力衝突は回避されたが、核戦争の恐怖を世界の人々が実感した。事件後、中国がソ連を批判、中ソ論争が公然化。

○**4** 1989年6月。多数の死傷者が出たが、正確には不明。以後、中国国内の民主化の動きは後退した。また事件後、中国政府は国民の不満を他にそらすために、反日教育を強めたといわれる。

○**5** 1968年5〜6月。この事件の翌年1969年4月、ド＝ゴールは国民投票でやぶれて退陣、10年間続いたド＝ゴール時代は終わった。

▶ 非暴力を唱えた抵抗運動

- インドの非暴力・不服従運動…ガンディー（1869〜1948）によって行われた抵抗運動。1920年、当時の宗主国であったイギリスに対して非協力の方針をとり、納税拒否・就業拒否・商品不買などの抵抗を行った。1922年、ガンディーは逮捕され運動は弱まるが、その後、再び不服従運動は繰り広げられた。インド独立（1947）の翌48年、ガンディーは狂信的なヒンドゥー教徒に暗殺された。

- 公民権運動…ガンディーに影響を受けたアメリカ合衆国のキング牧師（1929〜1968）によって行われた非暴力の抵抗運動。当時、特に南部では、黒人たちは公共施設の利用や選挙権において大きな制限を受けていた。リンチによる殺人も相次いだ。キングは人種差別撤廃を求め、1963年に20万人以上のワシントン大行進を組織した。翌64年、公民権法が制定されたが、68年、キングは暗殺された。

次のアメリカ合衆国大統領の政策に関する説明のうち、第35代大統領ケネディに関する記述として、妥当なものはどれか。

1 ニューフロンティア政策を掲げ、国内外の問題に積極的に取り組んだ。また、対ソ外交ではベルリン問題やキューバ危機を通して対話路線を定着させた。

2 「強いアメリカ」を誇示して世界に対する指導力を回復しようとした。しかし、軍備拡大による財政赤字と国際収支の赤字を増やし、国民経済を弱体化させてしまった。

3 ヴェトナム和平協定を調印し、アメリカ軍をヴェトナム全土から撤退させたが、ウォーターゲート事件を引き起こし辞任に追い込まれた。

4 「人権外交」と呼ばれる外交政策を展開し、エジプト—イスラエル間の平和条約調印など成果を上げたが、ソ連のアフガニスタン侵攻などで「人権外交」は破綻した。

5 対外的には「マーシャルプラン」など、共産主義の進出を阻止する「封じ込め政策」を展開し、国内的にはニューディール政策を継承したフェアディール政策を実施した。

| 重要度 | ★★★ | 解答時間 | 2分 | 正解 | 1 |

 解 説

○1 ニューフロンティア政策は、ケネディが大統領選挙のために唱えた。開拓者の精神を忘れず、新たな問題に取り組むよう訴えた。
×2 第40代レーガンについての記述。ソ連との対決姿勢を強めた。
×3 第37代ニクソンのこと。訪中し、中国との関係改善も行った。
×4 第39代カーターについての記述。「人権外交」とは、人権を守らない国家に経済援助を条件に人権を守らせようとする政策。
×5 第33代トルーマンのこと。フェアディールとは公正な取り扱いの意味。

過去 7

> 次の東南アジア諸国に関する説明のうち、タイに関する記述として、妥当なものはどれか。

1 多民族国家であり、多くはイスラム教徒である。1970年代から日本や韓国を手本とするルックイースト政策による工業化が進んだ。

2 周囲の国々が植民地化される中、緩衝国として独立を保った。チャオプラヤ川流域に世界有数の米作地帯を持ち、米の輸出も盛んである。

3 インドシナ半島の中央部に位置し、メコン川流域で米作が盛んである。また、アンコールワット遺跡が世界遺産に登録されている。

4 約7,000の島々からなる国で、かつてスペイン、アメリカの植民地支配下にあったことから、多くの国民はカトリックで、英語を話す。

5 マラッカ海峡に臨む交通の要地で、中継貿易によって発展してきた。1970年代に外国資本を導入し、積極的な工業化をはかった結果、アジア NIES の一員に成長した。

重要度	★★	解答時間	2分	正解	2

解 説 　**タイは世界有数の米の輸出国。**

✕**1** マレーシアはマハティール首相（1981〜2003年）の唱えるルックイースト政策の下、工業化に取り組み、成功を収めた。

◯**2** タイは、イギリスの勢力とフランスの勢力の中間地点にあったため、植民地支配されなかった。チャオプラヤ川は日本ではメナム川と呼ばれた。

✕**3** アンコールワットは、カンボジアのシンボルになっている遺跡。

✕**4** 1898年の米西戦争によって、フィリピンはアメリカ領となった。

✕**5** 中継貿易はシンガポールの特徴であった。

6 地理

過去
1

海岸と海に見られる地形に関する記述として、最も妥当なのはどれか。

1　波の浸食作用により、岩石が削られて急傾斜の崖である波食台がつくられる。そのとき海側には、波で削られた海岸段丘ができる。

2　フィヨルドは深くて波が静かな湾をもつ。その背後の陸地には平地が多く、陸路の交通が便利で大規模な港が発達する傾向にある。

3　サンゴ礁は、まず海岸を縁取るように発達する。これを環礁（かんしょう）といい、島が沈降する中で礁は上に発達し、島と礁の間にラグーンをもつ裾礁（きょしょう）になる。

4　砂州が沖合に向かって成長し沖合の島とつながった地形をトンボロという。砂州が長くのびると、陸と島がつながって陸繋島（りくけいとう）ができる。

5　海洋プレートが大陸プレートの下へ斜めに沈み込んでいる境界では、海底は急に深くなって海嶺（かいれい）となる。海嶺は安定大陸に相当する。

重要度	★★	解答時間	3分	正解	4

解説 陸地と島をつなげる砂州を**トンボロ**、または**陸繋砂州**（りくけいさす）という。沿岸の潮の流れで砂が運搬堆積され、地続きとなる。

× 1 波食台ではなく、海食崖（かいしょくがい）のこと。波の浸食によって海食洞と呼ばれる洞窟ができ、その後、上部の岩石が崩落して急崖となり、海食崖ができる。波食台は海食（波や潮流など海水の浸食作用）により、平滑になった岩床面。沖の方向に緩く傾斜し、海面上に露出することもある。海食台（地）、海食棚ともいう。海岸段丘は、地盤の隆起や海面の低下により、海岸線に沿って階段状に発達した地形をいう。

× 2 氷河の浸食でできた氷食谷に海水が浸入したものがフィヨルド。背後の陸地には山地が多く、交通は不便である。

× 3 海岸を縁取るように発達するサンゴ礁は裾礁（きょしょう）や堡礁（ほしょう）。裾礁はサンゴ礁が海岸線から近く、堡礁はやや離れていて内海をつくる。堡礁の中心となる島が沈降して周囲のサンゴ礁が環状に残ったものを環礁（かんしょう）という。ラグーンは砂州や砂嘴（さし）などによって海と隔たった湖のことで潟湖ともいう。

○ 4 江の島、函館山、潮岬などが代表例。

× 5 2つのプレートがぶつかり沈み込む境界では、海嶺（かいれい）ではなく、海溝が形成される。海嶺は2つのプレートの広がっていく境界に形成されるもので、水深4000〜5000mの海底にある細長い帯状の山脈。大西洋の海底を南北にS字に走る大西洋中央海嶺が代表例。

▶ プレートの移動（プレートテクトニクス）

地球の表面は十数枚のプレートに覆われていて、これらのプレートはさまざまな方向へ移動している。

広がる境界

大地溝帯や海嶺が形成。東アフリカ大地溝帯など。

せばまる境界

大山脈や海溝が形成。ヒマラヤ、日本海溝など。

ずれる境界

プレートの動く方向が反対。カリフォルニアのサンアンドレアス断層など。

ケッペンの気候区分に関する記述として、妥当なのはどれか。

1 Af は一年中高温多雨多湿で気温の年較差に比べて日較差は小さい。

2 Am は総じて高温多雨多湿で 1 ～ 3 か月ほどの強い乾季がある。

3 Cs は冬に貿易風帯に入り前線や低気圧の活動がにぶくなり乾季となる。

4 Cfa はモンスーンや熱帯収束帯によって夏は乾季となる。

5 Cfb は温帯の大陸西岸にみられる海洋性気候で冬は比較的温和である。

| 重要度 | ★★★ | 解答時間 | 3分 | 正解 | 5 |

解説 Cfb は西岸海洋性気候といわれ、夏は涼しく、冬は緯度の割には暖かいのが特色。イギリス、ドイツなど西ヨーロッパに多く分布。

×1 **Af**…熱帯雨林気候。気温の日較差は年較差よりも大きい。毎日スコールがあり、年間降水量は2000mm 以上のところが多く、熱帯雨林と呼ばれる森林を形成する。南米のアマゾン盆地、アフリカのコンゴ盆地、インドネシアなど赤道付近に分布。

×2 **Am**…熱帯雨林気候に属するが、季節風の影響を強く受けることから、熱帯モンスーン気候と呼ばれることもある。高温多湿で、弱い乾季がある。東南アジア西海岸、インド西海岸、アフリカのギニア湾周辺などに分布。

×3 **Cs**…地中海性気候。夏に亜熱帯高圧帯の圏内に入るため、晴天が続き、乾燥する。冬は南下してくる偏西風帯に入るため、低気圧が通り、雨が多くなる。地中海沿岸やカリフォルニア、オーストラリア南岸などに分布。

×4 **Cfa**…温暖湿潤気候で、夏は熱帯の海洋から運ばれる気団のため、蒸し暑く、雨が多い。冬は寒気の影響で寒くなることもあり、気温の年較差が大きい。年降水量も多い。日本や中国東部、アメリカ東部など、中緯度の大陸東部に多く分布。

○5 **Cfb**…気温の年較差も日較差も小さく、曇りや雨の日が多いが、年降水量は比較的少ない。緯度は約40〜60度の高緯度地方の大陸西岸に分布。1年中、偏西風帯にあり、西岸の海洋の影響を受けるため、比較的温和な気候。

▶ 上記以外のケッペンの気候区分

- Aw…サバナ気候。熱帯ではっきりした乾季があり、年降水量は多くない。
- BW…砂漠気候。乾燥帯で年降水量が極めて少ない。生物も少ない。
- BS…ステップ気候。BW の周辺に分布。ウクライナなどは小麦地帯。
- Cw…温暖冬季少雨気候。温帯で夏に雨が降る。アジアでは米作地帯。
- Df…亜寒帯湿潤気候。1年を通じて降水があり、冬には積雪となる。
- Dw…亜寒帯冬季少雨気候。冬は晴天が多く、きわめて寒冷。シベリアなど。
- ET…ツンドラ気候。寒帯で短い夏の間、こけなどが地表を覆う。
- EF…氷雪気候。寒帯。1年中、雪と氷に閉ざされている。南極大陸など。

世界の農業に関する記述として、最も妥当なのはどれか。

1　焼畑農業は、アフリカ中南部や東南アジア、アマゾン川流域などで行われており、組み立て式テントに住み、家畜とともに広い地域を移動しながら農業を行う。

2　地中海式農業は、食料作物と飼料作物との輪作や牧畜を組み合わせる農業として、中世ヨーロッパの三圃式農業から発達した農業形態である。

3　中央アジアや北アフリカの乾燥地域などで見られるプランテーション農業は、世界市場向けの商品作物を単一耕作で大規模に栽培するのが特徴である。

4　モンスーンの影響で降水量の多い東南アジアから中国南部にかけては、こうりゃん、綿花などの畑作が労働集約的に行われている。

5　北アメリカのプレーリーや南アメリカの湿潤パンパなどで、小麦や飼料作物を栽培する企業的穀物農業は、広大な耕地で大型農業機械を使用するため、労働生産性が高いのが特徴である。

重要度	★★★	解答時間	3分	正解	5

 企業的穀物農業は、商業的穀物農業ともいわれ、家族経営を中心として、大型農業機械などで高度に機械化、省力化された合理的な大農法による農業である。

✕ 1 パオ（ゲル）と呼ばれる移動式住居（組立式テント）に住み、家畜とともに移動するのは、モンゴルの遊牧民に見られる農業形態。焼畑農業は、山林や原野を焼き払い、草木灰を肥料とする畑作であるが、近年は著しく減少。

✕ 2 地中海式農業は、乾燥に強いオリーブ、オレンジ、レモンなどの栽培が特色。小麦、大麦も栽培される。設問文は、作物栽培と家畜飼育を組み合わせた混合農業についての記述。フランス、ドイツ、ポーランドなどヨーロッパやアメリカのトウモロコシ地帯（コーンベルト）に代表される。

✕ 3 プランテーション農業は、熱帯や亜熱帯の地域で行われる。マレーシアのゴム、インドの茶、ブラジルのコーヒーなどが代表的。

✕ 4 東南アジアや中国南部は降水量が多いので、稲作が労働集約的（多くの労働力を集中的に投入すること）に行われている。こうりゃん、綿花、小麦などの畑作は、降水量の少ない中国北部で行われている。

◯ 5 適地適作で、単一耕作が多い。

 世界の主な農業

- 遊牧…牧草地を求めて移動。羊・ヤギ・ラクダ・トナカイなどを飼育。
- 焼畑農業…熱帯地方の焼畑による粗放的な原始農業。近年は著しく減少。
- オアシス農業…砂漠など乾燥地のオアシス周辺の農業。果物・野菜などを栽培。
- 集約的自給農業…アジアの稲作など。手工業が主なので、効率は悪い。
- 企業的牧畜…商業的で大規模な経営。牛や羊などを放牧。
- プランテーション農業…熱帯地方に多い。その地域の特産品を単一耕作。
- 地中海式農業…地中海性気候の地域で、乾燥に強いオリーブや果樹を栽培。
- 混合農業…ヨーロッパやアメリカ中部でさかん。農耕と家畜飼育の有機的結合。
- 酪農…乳牛飼育が中心。北欧やアメリカの五大湖沿岸、北海道などでさかん。
- 園芸農業…野菜・花き・果物が中心。都市への出荷を目的とする。

世界の人口に関する記述として、最も妥当なのはどれか。

1 人間が居住し生活を営んでいる地域はアネクメーネ、人が常住していない地域はエクメーネと呼ばれる。

2 自然増加とは、ある地域で流入数と流出数の差によって生じる人口の増加をいう。

3 社会増加とは、ある地域で出生数と死亡数の差によって生じる人口の増加をいう。

4 人口転換とは、20世紀後半にアジア、アフリカ、中南アメリカの発展途上地域中心に死亡率の低下によって生じた急激な人口増加のことをいう。

5 地球上における収容可能な人口数を可容人口といい、その値は地球全体の食料生産の総量を1人当たりの需要量で割って得られる。

重要度	★★★	解答時間	2分	正解	5

 解説 可容人口とは、地球で生活できる最大限の人口のこと。ただし、真の可容人口の判定は極めて困難である。

×**1** アネクメーネが人間が常住していない地域のこと。両極地方、高山地帯、砂漠地帯など。エクメーネが人間が居住し、生活を営んでいる地域のこと。

×**2** 自然増加とは、出生数と死亡数の差によって生じる人口の増加をいう。これを千分率で表したものが自然増加率。

×**3** 社会増加とは、流入数と流出数の差によって生じる人口増加をいう。人口増加数＝自然増加数＋社会増加数

×**4** 設問文は人口爆発のことをいっている。人口転換とは、社会の発展に伴い、多産多死から多産少子を経て、少産少死に至る3段階の人口変動パターンのこと。日本では、明治維新以前が多産多死、明治時代～昭和30年代半ばまでが多産少死、それ以降が少産少死の段階になる。

○**5** 可容人口は、かつてはフィッシャーが63億人、ペンクが77億人、ホルスタインが133億人と推定した。しかし、生活水準や世界の諸地域の自然・社会条件の違いから、正確な判定は困難といわれる。

世界の高齢化率（2023年）

（最高）
モナコ35.8%

（2位）
日本30.1%

（最低）
カタール1.6%

国の人口に対する老年人口（65歳以上）の割合
- 21%以上
- 14～21%
- 7～14%
- 7%未満
- 資料なし

（The World Bank 資料 他）

section 2 人文科学 6 地理

過去 5 次のA～Cが示す水上交通の要衝の組み合わせとして、最も妥当なのはどれか。

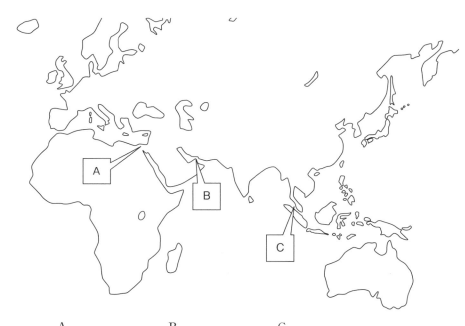

	A	B	C
1	スエズ運河	ホルムズ海峡	マラッカ海峡
2	スエズ運河	ジブラルタル海峡	マゼラン海峡
3	パナマ運河	ドーヴァー海峡	マゼラン海峡
4	パナマ運河	ホルムズ海峡	マンダブ海峡
5	キール運河	ドーヴァー海峡	マラッカ海峡

| 重要度 | ★ ★ ★ | 解答時間 | 2分 | 正解 | 1 |

 解 説 世界の水上交通の要衝である運河や海峡を巡っては、国際紛争がしばしば起こっている。これらの名称と特色を把握しておきたい。

A スエズ運河…ユーラシア大陸とアフリカ大陸の接合部にある運河。1869年に完成。全長193.3km。南アフリカ南端経由に比べて航路が大幅に短縮された。イギリスが支配していたが、1956年にエジプトが国有化した。

B ホルムズ海峡…ペルシャ湾とオマーン湾、及びアラビア海を結ぶ海峡。ペルシャ湾で採掘した石油を輸送する上で重要な位置にある。軍事上の要衝でもあり、国際紛争の際、軍艦により封鎖されたことがある。

C マラッカ海峡…東南アジアのマレー半島とインドネシアのスマトラ島の間にある海峡。インド洋と南シナ海を結ぶ交通の要衝。シンガポールなどの都市がある。

世界の主な運河、海峡

- パナマ運河…中央アメリカのパナマにある運河。大西洋と太平洋を結ぶ交通上、軍事上の重要地点。1914年に完成。全長約80km。1999年末、アメリカ合衆国からパナマへ返還された。

- キール運河…ドイツ北部、ユトランド半島付け根にある運河。北海バルト海運河ともいう。北海とバルト海を結び、エルベ川河口に通じる。

- ジブラルタル海峡…ヨーロッパのスペイン南端とアフリカのモロッコ北端の間にある海峡。大西洋と地中海を結ぶ。ヨーロッパ側にイギリス領のジブラルタル、アフリカ側にスペイン領のセウタがある。

- ドーヴァー海峡…イギリスのグレートブリテン島南東端とフランス北端の間にある海峡。北海とイギリス海峡を結ぶ。イギリス側にドーヴァー、フランス側にカレーがあり、1994年に鉄道のユーロトンネルが開通。

- マゼラン（マガリャンイス）海峡…南アメリカ大陸南端とフエゴ島の間にある海峡。1520年、ポルトガル人の探検家マゼラン（マガリャンイス）により発見された。パナマ運河開通以前は、太平洋と大西洋を連絡する要衝だった。

- バブ・エル・マンデブ海峡…アラビア半島南端とアフリカ東部のジブチなどの間にある海峡。紅海とアデン湾、及びアラビア海を結ぶ。

| 過去
6 | 都市の機能とそれに該当する都市名の組合せとして、最も妥当なのはどれか。 |

1　観光都市 ― エルサレム（イスラエル）
2　港湾都市 ― キャンベラ（オーストラリア）
3　宗教都市 ― ブラジリア（ブラジル）
4　商業都市 ― フランクフルト（ドイツ）
5　政治都市 ― ニース（フランス）

| 重要度 | ★★★ | 解答時間 | 2分 | 正解 | 4 |

 商業都市とは、卸売業、小売業、金融業などの商業を中心として発展した都市をいう。その国の経済の中心地が多い。

✕1 観光都市はニースが該当する。他にアテネ（ギリシャ）、ローマ（イタリア）、日本では京都、奈良、日光、鎌倉などが観光都市である。

✕2 港湾都市は、港湾を中心として発展した都市。選択肢の中には該当するものはない。ニューヨーク（アメリカ）、ロッテルダム（オランダ）、日本では横浜、神戸、長崎などがあげられる。

✕3 宗教都市としてはエルサレムが該当する。エルサレムはキリスト教、イスラム教、ユダヤ教の聖地。他にイスラム教のメッカ（サウジアラビア）、ヒンズー教のヴァラナシ（インド）などの宗教都市がある。

◯4 商業都市には、他にニューヨーク（アメリカ）、アムステルダム（オランダ）、ブエノスアイレス（アルゼンチン）、日本では大阪などがあげられる。

✕5 政治都市には多くの行政機関が集中する。選択肢の中では、キャンベラとブラジリアが政治都市になる。いずれも計画的に建設された。アメリカの首都ワシントンD.C.も政治都市である。

次のうち、世界遺産リストに登録されている文化遺産がない県はどこか。

1 栃木県　　**2** 広島県　　**3** 兵庫県　　**4** 沖縄県　　**5** 愛知県

| 重要度 | ★★★ | 解答時間 | 2分 | 正解 | 5 |

解説

○**1** 栃木県では、日光の社寺が文化遺産に登録されている。
○**2** 広島県には、原爆ドームと厳島神社の2つの文化遺産がある。
○**3** 兵庫県では、姫路城が文化遺産に登録されている。
○**4** 沖縄県では、琉球王国のグスク及び関連遺産群が文化遺産に登録されている。
✕**5** 愛知県には世界遺産に登録されているものはない。

日本の世界遺産

名称	区分	地域	指定年月
法隆寺地域の仏教建造物	文化	奈良県	1993.12
姫路城	〃	兵庫県	1993.12
古都京都の文化財	〃	京都府・滋賀県	1994.12
白川郷・五箇山の合掌造り集落	〃	岐阜・富山県	1995.12
原爆ドーム	〃	広島県	1996.12
厳島神社	〃	広島県	1996.12
古都奈良の文化財	〃	奈良県	1998.12
日光の社寺	〃	栃木県	1999.12
琉球王国のグスク及び関連遺産群	〃	沖縄県	2000.12
紀伊山地の霊場と参詣道	〃	奈良・和歌山・三重県	2004.7
石見銀山遺跡とその文化的景観	〃	島根県	2007.7
平泉―仏国土（浄土）を表す建築・庭園及び考古学的遺跡群―	〃	岩手県	2011.6
富士山―信仰の対象と芸術の源泉―	〃	山梨・静岡県	2013.6
富岡製糸場と絹産業遺産群	〃	群馬県	2014.6
明治日本の産業革命遺産　製鉄・製鋼、造船、石炭産業	〃	岩手・静岡・山口・福岡・佐賀・長崎・熊本・鹿児島県	2015.7
ル・コルビュジエの建築作品―近代建築運動への顕著な貢献―	〃	東京都（他6か国）	2016.7
「神宿る島」宗像・沖ノ島と関連遺産群	〃	福岡県	2017.7
長崎と天草地方の潜伏キリシタン関連遺産	〃	長崎県・熊本県	2018.6
百舌鳥・古市古墳群―古代日本の墳墓群―	〃	大阪府	2019.7
北海道・北東北の縄文遺跡群	〃	北海道・青森・岩手・秋田県	2021.7
佐渡島の金山	〃	新潟県	2024.7
屋久島	自然	鹿児島県	1993.12
白神山地	〃	青森・秋田県	1993.12
知床	〃	北海道	2005.7
小笠原諸島	〃	東京都	2011.6
奄美大島、徳之島、沖縄島北部及び西表島	〃	鹿児島・沖縄県	2021.7

7 思想

過去 1 次はある人物と著書に関する記述であるが、空所Ａ、Ｂの組み合わせとして、妥当なものはどれか。

　精神医学者の（　Ａ　）は、人生に意味があるかどうかという疑問に取り組み、人生の意味を求めて苦闘することは、人生に目覚めた青年の特権であるといっている。彼は、第二次世界大戦の時に、ナチスのアウシュヴィッツ収容所に入れられ、死の恐怖と飢えを体験した。その体験をもとに、人生の意味を追究した著作『（　Ｂ　）』では、「わたしたちが人生から何を期待できるかが問題なのではなく、人生が何をわたしたちに期待しているかが問題なのである。人生はわたしたちに毎日、毎時間、問いを出し、わたしたちはその問いに正しい行為でこたえなくてはならない」とした。

	Ａ	Ｂ
1	フランクル	夜と霧
2	フロム	自由からの逃走
3	ヘルマン・ヘッセ	車輪の下
4	ハイデッガー	死と愛
5	サルトル	壁

| 重要度 | ★ ★ | 解答時間 | 2分 | 正解 | 1 |

解説 フランクルの著作『夜と霧』の原題には、「強制収容所における一心理学者の体験」の副題がある。

○ **1 フランクル**…1905〜97年。オーストリアの精神医学者。ヤスパースなど実存主義の哲学者の影響を受け、それをもとにして、独自の心理療法を開発・提唱した。

× **2 フロム**…1900〜80年。ドイツの精神分析家・思想家。フロイトの精神分析の考えを社会的、文化的現象に応用して分析を行った。ユダヤ系であったため、ナチスの迫害をのがれ、ドイツからアメリカに亡命した。

× **3 ヘルマン・ヘッセ**…1877〜1962年。ドイツの小説家・詩人。代表作『車輪の下』は、自らの思春期の波乱に富んだ体験をもとに書かれたものである。

× **4 ハイデッガー**…1889〜1976年。ドイツの哲学者。実存主義的思想家で、真の主体的自己を回復するためには、「死への存在」としての自己を自覚しなくてはならない、と説く。第二次大戦中ナチスに協力したとして、戦後の一時期、教壇を追われた。選択肢の『死と愛』は、フランクルの著書。

× **5 サルトル**…1905〜80年。フランスの哲学者・文学者。人間においては、事物と違って実存が本質に先立つと主張。行動する知識人として活発な活動を続けた。

POINT 整理

- 実存主義…すべてを合理的に処理する理性に対し批判的。現代の機械文明の中で疎外される人間の姿をとらえ、各個人の自覚・決断・努力によって、かけがえのない自由な主体性を確立し、自己疎外を克服することが目的。
- キェルケゴール…1813〜55年。デンマークの哲学者。実存の三段階を説く（美的実存→倫理的実存→宗教的実存）。
- ニーチェ…1844〜1900年。ドイツの哲学者。キリスト教、既存道徳への批判を行い、力への意志をもつ超人をめざすことを主張した。
- ヤスパース…1883〜1969年。ドイツの哲学者。極限状態で自己の限界を自覚、その後、他者との実存的な交わり（愛しながらの戦い）が必要と説く。

イギリスの哲学者、ジョン=スチュアート=ミル（1806〜1873）の思想に関する記述として、妥当なものはどれか。

1 　個性ある少数者は常に多数者の専制化の脅威にさらされると考え、個性のない多数者に対する個性ある少数者の自由を強調した。

2 　文明の歴史を階級闘争の歴史としてとらえ、生産力が高まり剰余生産物が生まれると、これを搾取する階級と搾取される階級に分裂し、そこから闘争が始まると主張した。

3 　国家を「ひとつの有機体として多数の部分的な組織から形成され、全体は部分を、部分は全体を保証する」存在とみなし、「有機体的国家論」を唱えた。

4 　社会契約のもとでは、政府はただ単に政治の執行を委託されただけにすぎず、あくまで国家の主権は人民にあり、その意志は絶対的であると主張した。

5 　「功利の原理」および「最大多数の最大幸福」の理念を説き、この理念が実現されたとき、社会の幸福は最大になると主張した。

重要度	★ ★ ★	解答時間	3分	正解	1

 ミルは個性を重視し、個性の育成が社会全体を活性化すると主張。

○**1** ミルの自由論。ミルは思想と討論の自由も重視し、権力者や多数派の意見が正しいとしても、自由な討論なしに少数派の意見を抑圧すれば、権力者や多数派は常に自らが正しいと考える偏見におちいると主張。

×**2** マルクス（1818〜83年）の階級闘争の考え方。科学や技術の進歩により、生産力は高まっていくが、資本家と労働者との生産関係は変化しない。そこに矛盾が生じ、変革が必要となり、社会革命が起こると主張した。

×**3** ドイツの法学者ブルンチュリ（1808〜81年）の考え方。「有機体的国家論」の立場から、ロック、ルソーなどの社会契約説を否定。個人よりも国家を重視し、富国強兵政策を進める明治政府に正当性を与えるものとされた。

×**4** フランスの啓蒙思想家ルソー（1712〜78年）の考え。政府は人民の意志の執行機関にすぎないことを説いた。また、著書『社会契約論』において、直接民主主義を政治の理想とした。

×**5** イギリスの哲学者ベンサム（1748〜1832年）の記述。功利の原理とは、人間は快楽を求め、苦痛を避けようとするのであるから、幸福を増大させる行為を正しい行為、幸福を減少させる行為を正しくない行為とみなす。また、社会全体の幸福を増大させるというのは、個人の幸福の総計を増大させることであるので、最大多数の最大幸福を実現するべきであると主張した。

19世紀の哲学・社会思想

哲学家・社会思想家	業績・作品	哲学家・社会思想家	業績・作品
ヘ ー ゲ ル	弁証法哲学	コ ン ト	実証主義
ショウペンハウエル	厭世的世界観	オ ー ウ ェ ン	『新社会観』
ニ ー チ ェ	生の哲学・実存主義	バ ク ー ニ ン	『神と国家』
サ ン = シ モ ン	新キリスト教	マ ル サ ス	『人口論』
プ ル ー ド ン	『財産とは何か』	リ ス ト	歴史学派経済学
シ ェ リ ン グ	先験的観念論	リ カ ー ド	古典派経済学
キ ェ ル ケ ゴ ー ル	『死に至る病』	マ ル ク ス	『資本論』
フォイエルバッハ	『キリスト教の本質』	ラ ン ケ	実証的歴史学

哲学・思想用語とその説明として、妥当なものはどれか。

1　イデオロギーとは、カントの用語で、社会のあり方によって制約され、規定された人々の意識や考え方のことである。

2　ルサンチマンとは、ニーチェの用語で、一般の既成道徳の根底にある、弱者の内攻的な復讐心のことである。

3　パラダイムとは、クーンの用語で、一切の抵抗を克服して、たえずより強大になろうとする本源的な生命力のことである。

4　アンガージュマンとは、サルトルの用語で、常に目的もなく意味もない永遠の繰り返しにすぎない無意味・無目的の世界を直視し愛することである。

5　ハビトゥスとは、ブルデューの用語で、理性を持つ全ての人が認める普遍的・客観的な知識や判断のことである。

重要度	★★	解答時間	3分	正解	2

解説　**ニーチェのルサンチマンは、弱者の復讐心、ねたみなどを意味する。**

✕1 イデオロギーの語源は、フランス語の観念学（観念の形成過程を研究する学問）から来ており、カントの用語ではない。

◯2 弱者が強者に対して憎悪やねたみを内心に溜め込んでいること。

✕3 パラダイムがクーンの用語であることは正しいが、この説明はニーチェの考えた人間の本質についてである。パラダイムとは「理論的枠組み」。

✕4 アンガージュマンは、サルトルが用いた言葉で、「拘束」と「参加」の意味。

✕5 この説明は、プラトンの考えたイデアについて。ブルデューはハビトゥスを「社会的に獲得された性向の総体」の意味として用いた。

覚えておこう

パラダイム論…アメリカの科学哲学者クーンの理論（1962年）。人間は常にパラダイム（理論的枠組み）を通して物事を見ているので、古い科学理論から新しい科学理論への変遷は進歩ではなく、パラダイムの転換であると主張。

過去 4 親鸞の思想に関する記述として、最も妥当なのはどれか。

1 　末法の世に依るべき経典は法華経であり、心を尽くして南無妙法蓮華経を唱えれば、誰でも仏となれる。
2 　根深い煩悩を嘆きつつ阿弥陀仏のはたらきを頼む人こそが、往生の条件をもっとも適切に備えている。
3 　修行とは坐禅することであり、悟りは坐禅のうちにのみあらわれ、坐禅はそのまま悟りの体得である。
4 　自らの煩悩が深く、悪人であることを免れないと自覚し、悟りを求めて自力で善を積まなければ往生できない。
5 　生活にかかわる一切の束縛を捨て去ってひたすら念仏を唱えれば、誰でも極楽往生することができる。

重要度	★★★	解答時間	3分	正解	2

 解説 **親鸞の浄土真宗は法然の浄土宗の教えをさらに純化し、発展させたもの。**

✕1 日蓮の説いた日蓮宗の思想。日蓮は天台宗の経典である法華経を至上のものとし、「南無妙法蓮華経」の題目を唱えれば、人は宇宙の本体と一体となり、現世はそのまま浄土になるとした。

○2 「善人なをもて往生をとぐ、いはんや悪人をや」は、親鸞の浄土真宗の悪人正機説を代表する考え。これは「悪人こそ、自分の深い煩悩に気づいて嘆き、ただ阿弥陀如来の慈悲にすがろうという気持ちが強いため、まず救われる」という意味である。

✕3 もっぱら坐禅によって悟りを開こうというのは、禅宗のうち、道元が宋で開悟して継いだ曹洞宗の教えである。

✕4 悟りを求めて自力で善を積むのではなく、自らの煩悩が深く、悪人であることを免れないと自覚し、往生を願って念仏を唱えるのが親鸞の教え。

✕5 ひたすら「南無阿弥陀仏」の念仏を唱えて極楽往生を願うのは、法然の開いた浄土宗の教え。ひたすら念仏を唱える易行（やさしい修行）によって、仏に救いを求める仏教である。

過去5　次のうち、スイスのユングに関する記述として、妥当なものはどれか。

1　彼は高度文明社会も記号の構造に従って組織されており、言語・習慣・制度・法律などはすべて記号のシステムであると考えた。

2　彼は個人的無意識の底に、民族や人類に共通する無意識が存在すると考え、それを「集合的無意識」とよんだ。

3　彼は精神科医として患者の夢を分析するうちに、意識下に潜在する心のはたらきに気づき、それを「無意識」とよんだ。

4　彼は、「イド」すなわち無意識の深層に潜在している本能のエネルギーは睡眠と食欲であると考えた。

5　彼は人生の目標や意義を見失って刹那的享楽や絶望に逃避する態度を「絶望的ニヒリズム」として退け、無意味な人生の悲惨さを直視し、乗り越えようとする「能動的ニヒリズム」の思想を提唱した。

重要度	★	解答時間	3分	正解	2

解説 ユングはフロイトの無意識の理論を、民族や人類にまで拡大した。

✕**1** これは文化記号論の考え方。記号論はスイスのソシュール（1857〜1913年）とアメリカのパース（1839〜1914年）が創始者。

◯**2** ユング（1875〜1961年）はスイスの精神科医、心理学者。フロイトの弟子であったが、その後、独自の学説を築いた。フロイトの無意識が主に個人を対象としていたのに対し、ユングはそれを人類史の起源にまでさかのぼる集合的なものと考えた。

✕**3** フロイト（1856〜1939年）のこと。オーストリアのユダヤ人の精神科医で、精神分析の創始者。人間の心理現象は性的エネルギーと自我との葛藤であるととらえ、無意識下の願望が、夢という形に姿を変えて現れて来ると考えた。彼の理論は、心理学方面だけでなく、社会科学、芸術など多方面に大きな影響を与えた。

✕**4** フロイトの理論。イドを自分の心の中に存在していながら、自分の意志でコントロール不可能なものであるとした。

✕**5** ニーチェの能動的ニヒリズムの思想。能動的ニヒリズムとはニヒリズムを直視し、これを積極的に生きることによってニヒリズムを克服しようという考え。

POINT 整理

フロイトによる精神の構造…フロイトは、精神は、イド・自我・超自我の3つからできていると主張した。

- **イド**……人間の無意識のうちにあるもので、人格がなく、本能的、原始的、快楽を追求。
- **自我**……イドの欲求を満たすために、現実と調和し、行動計画を立て、現実原則に従う。
- **超自我**…後天的な良心や道徳観など。イドや自我を抑制し、社会的・文化的方面へと向ける。

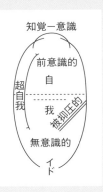

SECTION 2 人文科学

8 文学・芸術

過去1 以下はある作家の作品の説明であるが、空所A～Cに該当する語句等の組み合わせとして、妥当なものはどれか。

「幼い頃、名門華族の綾倉家へ預けられた松枝清顕は、綾倉家の令嬢、聡子とともに育った。時が経ち、清顕は久しぶりに聡子と再会するが、聡子への恋心を素直に表せずにいた。やがて聡子に宮家との縁談が持ち上がるが、清顕は目を背けたままでいた。清顕が聡子への愛を自覚したのは正式な婚約発表の後だった。天皇の勅許が下りた婚姻と知りながら、清顕は聡子に求愛し、聡子もまた、その愛を受け入れていく。」というあらすじのこの作品は、作家（　A　）の、（　B　）部作からなる「（　C　）」の第1作目である。

	A	B	C
1	谷崎潤一郎	4	細雪
2	谷崎潤一郎	3	細雪
3	三島由紀夫	4	豊饒の海
4	三島由紀夫	3	春の雪
5	谷崎潤一郎	3	春の雪

重要度	★★	解答時間	2分	正解	3

解説

『豊饒の海』は三島由紀夫の最後の作品で、『春の雪』『奔馬』『暁の寺』『天人五衰』から成る4部作。若くして死んだ主人公が、輪廻転生によって何度も生まれ変わるという構成になっている。問題文は第一部『春の雪』のあらすじだが、（　C　）で問われているのは作品名『豊饒の海』であることに注意。2005年に『春の雪』が映画化された。

『細雪』は、大阪の旧家を舞台にした谷崎潤一郎の代表作。三女の縁談を中心にした四人姉妹の物語で、何回か映画化、舞台化されている。

次の文はフランスの文芸上の傾向の変遷について書かれたものであるが、空所A～Dに該当する語句の組み合わせとして、妥当なものはどれか。

17世紀に始まった（　A　）主義は、古代ギリシア・ローマの文化を理想とし、調和と形式的な美しさを重視しようとした。しかし、18世紀末頃からは、中世をたたえる（　B　）主義が（　A　）主義に対抗して出現し、個性や感情の重視と歴史や民族文化の伝統の尊重を主張した。さらに、19世紀半ばには、（　C　）主義が（　B　）主義への反動として興り、社会や人間を客観的に、ありのままに描こうとした。そして、19世紀後半からは、（　C　）主義をさらに強調した（　D　）主義が興り、社会の矛盾を追及し、人間の俗悪な部分も描写した。

	A	B	C	D
1	古典	ロマン	自然	写実
2	耽美	古典	自然	象徴
3	古典	ロマン	写実	自然
4	ロマン	古典	写実	自然
5	ロマン	写実	自然	象徴

重要度	★★★	解答時間	3分	正解	3

古典主義…17世紀の、古代ギリシア・ローマを志向し、端正な形式美を重視する傾向。ラシーヌの悲劇、モリエールの喜劇など。

ロマン主義…18世紀末～19世紀初め。フランス革命の影響で、ギリシア・ローマの古典から自国の歴史に目を転じ、個人の内面を見つめる文学が誕生。

写実主義…19世紀半ば。反ロマン主義運動として広まった。現実社会の実相を描いたスタンダールの『赤と黒』やバルザックなどの作品がある。

自然主義…19世紀後半。写実主義に飽き足らず、心理学など科学的視点から見て人間の真実を描こうとした。代表的な作品にゾラの『居酒屋』。

耽美主義…19世紀後半。ボードレールなど。美の創造を至上目的に。

象徴主義…19世紀後半から20世紀前半。主観を重んじ、内面的世界を象徴によって表現する思潮で、ランボー、マラルメなどの詩人が生まれた。

過去3 近世の文学に関する記述として妥当なものはどれか。

1 『野ざらし紀行』は松尾芭蕉の最後の紀行文作品である。
2 『新花摘』は与謝蕪村と門人によって編集された和歌集である。
3 『おらが春』は身辺の雑事を日記形式で記した小林一茶の作品である。
4 井原西鶴の著した『好色一代男』は町人物の浮世草子の代表的作品である。
5 近松門左衛門の人形浄瑠璃『曾根崎心中』は時代物の代表的作品である。

重要度	★★★	解答時間	2分	正解	3

解説 江戸時代の代表的な文学者についての出題。どういうジャンルで活躍した人物かを押さえておけば、問題文の間違いに気づける。

✕1 『野ざらし紀行』は芭蕉（俳人）の「最初」の紀行文である。
✕2 与謝蕪村は俳人であり、『新花摘』は「句文集」である。
〇3 小林一茶は弱者に温かい眼差しを送った庶民派の俳人。
✕4 『好色一代男』は井原西鶴の処女作で、浮世草子の代表的作品。町人物と呼ばれるのは、西鶴の晩年に書かれた『日本永代蔵』『世間胸算用』など。
✕5 近松門左衛門の人形浄瑠璃『曾根崎心中』は「世話物」の代表的作品である。

浄瑠璃と歌舞伎

江戸時代の庶民の娯楽の代表は人形浄瑠璃や歌舞伎。浄瑠璃でも歌舞伎でも演じられる共通の演目も多い。その脚本には、下記のような種別がある。

時代物…実際にあった歴史的事件をもとにした作品で、武家・貴族・僧侶などの上層階級の人物を主役にしたもの。代表的な作品に『義経千本桜』『伽羅先代萩』など。

世話物…実際にあった事件をもとに、町人や農民などの民衆を主役にした、当時の現代劇作品。代表的な作品は近松の『心中天網島』など。

我が国の現代文学に関する記述として、最も妥当なのはどれか。

1　司馬遼太郎は、日清戦争で活躍した軍人2人と歌人の正岡子規が登場する『坂の上の雲』や、坂本龍馬が主人公の『翔ぶが如く』など、スケールの大きな歴史小説を次々と発表した。

2　大江健三郎は、重い障害をもつ子どもを受けとめようとする父の姿を描いた『個人的な体験』など独自の世界を描き、1994（平成6）年には日本人で初めてノーベル文学賞を受賞した。

3　安部公房は、超現実的な手法で現代の不安と不条理を描き、『壁―Ｓ・カルマ氏の犯罪』で芥川賞を受賞すると、その後も『砂の女』などの話題作を発表した。

4　星新一は、『ボッコちゃん』や『ようこそ地球さん』といった史実に基づく骨太の長編小説を次々と発表し、現代社会を鋭く風刺する内容が高く評価され、広い読者層を獲得した。

5　村上春樹は、恋愛を素材としながら社会から距離を置き、漠とした喪失感にとらわれた若者像を切なく描いた『ノルウェイの森』でデビューし、同作で芥川賞を受賞した。

重要度	★★	解答時間	3分	正解	3

 解説

✕**1** 『坂の上の雲』には日露戦争で活躍した軍人2人と正岡子規が登場。『翔ぶが如く』は西郷隆盛と大久保利通が主人公である。

✕**2** 大江健三郎は、1968（昭和43）年に受賞した川端康成に続く2人目のノーベル文学賞受賞者。

◯**3** 多くの作品が海外で翻訳され、国際的にも高い評価を得ている。

✕**4** 星新一は『ボッコちゃん』や『ようこそ地球さん』といったショート・ショートと名付けられた短編を次々と発表した。

✕**5** 村上春樹のデビュー作は『風の歌を聴け』。同作で群像新人賞を受賞した。

過去 5 次の作品紹介に該当する作品はどれか。

　「異なる性格を持ちながらも、ナポレオンを崇拝しているアンドレーとピエールの二人が、歴史的事件の中で、精神的に成長していく様子を描く。
　アンドレーは、アウステルリッツの会戦で真の英雄は大衆の中にいることを知り、愛という自己完成の最高の境地に達する。ピエールは、捕虜生活のさなかに愛と犠牲に生きる人物に出会い、個人的な幸福に拠らない人生を選ぶ。」

1　『戦争と平和』
2　『西部戦線異状なし』
3　『風と共に去りぬ』
4　『罪と罰』
5　『嵐が丘』

重要度	★	解答時間	1分30秒	正解	1

解説 ５つとも映画にもなっている、有名な文学作品。問題文中に出てくる「アウステルリッツの会戦」がヒント。1805年のオーストリア・ロシア連合軍とナポレオン軍との戦いである。

○**1**『戦争と平和』はロシアの作家、トルストイの長編小説。

×**2**『西部戦線異状なし』はドイツの作家、レマルクの長編小説。第一次世界大戦に参加した学徒志願兵の無情な死を描いた作品で、1930年にアメリカで映画化。

×**3**『風と共に去りぬ』はマーガレット・ミッチェルの長編小説。アメリカの南北戦争を背景に、アトランタの大農園主の娘スカーレットのドラマチックな人生を描いている。1939年に映画化された。2020年6月には、人種差別表現をめぐり一時動画配信停止となったが、解説を加えて再開された。

×**4**『罪と罰』はドストエフスキーの長編小説。貧しい学生ラスコーリニコフは金貸しの老婆を殺してしまうが、娼婦のソーニャに出会い、罪を告白して自首する。

×**5**『嵐が丘』はイギリスの女流作家、エミリー・ブロンテの長編小説。荒れ地に住む２つの家族の三代にわたる確執を描いている。

過去 6	ヨーロッパ音楽の歴史に関する記述であるが、空所A〜Dに入る人物の組み合わせとして、妥当なものはどれか。

　17世紀から18世紀にかけて、"近代音楽の父"（　A　）に代表されるバロック音楽が流行した。また、18世紀後半から19世紀初期までの音楽を古典派音楽といい、"交響曲の父"（　B　）や"楽聖"（　C　）らが活躍した。この時期は宮廷音楽から市民音楽への移行期に当たる。古典派音楽は、1830年頃から、個性・意志・感情を強烈に表現したロマン派音楽に発展し、19世紀中頃まで流行した。"ピアノの詩人"と呼ばれるポーランドの作曲家（　D　）もロマン派に属する。

	A	B	C	D
1	ヘンデル	チャイコフスキー	モーツァルト	シューマン
2	ヘンデル	ハイドン	モーツァルト	シューマン
3	バッハ	ハイドン	ベートーヴェン	ショパン
4	ヘンデル	チャイコフスキー	ベートーヴェン	シューマン
5	バッハ	チャイコフスキー	モーツァルト	ショパン

重要度	★★★	解答時間	1分30秒	正解	3

解説

バロック音楽…17世紀初頭から18世紀半ばのヨーロッパ音楽様式。オペラ、カンタータ、ソナタ、コンチェルト、オルガン音楽などが特徴で、バロック音楽を代表する音楽家はビバルディ、バッハ、ヘンデルなど。

古典派音楽…18世紀後半から19世紀初めまでの音楽様式。古典派の代表的な音楽家はハイドン、モーツァルト、ベートーヴェンなど。この時期に交響曲、弦楽四重奏曲、ピアノ・ソナタ、ソナタ形式などが完成された。

ロマン派音楽…19世紀初めから19世紀末頃までの音楽様式。この時期に新しい聴衆として市民層が登場して、総合芸術作品としてのワーグナーの楽劇などの新しいジャンルが生まれた。代表的な音楽家はショパン、リスト、ワーグナー、チャイコフスキー、シューマンなど。

是枝裕和監督が2018年に『万引き家族』でパルムドールを、2022年に『ベイビー・ブローカー』でエキュメニカル審査員賞を獲得した映画祭はどれか。

1　カンヌ国際映画祭　　　　　2　ヴェネツィア国際映画祭
3　ベルリン国際映画祭　　　　4　モスクワ国際映画祭
5　カルロヴィ・ヴァリ国際映画祭

重要度	★★	解答時間	1分30秒	正解	1

 世界の映画祭で受賞した主な日本人監督の映画作品は覚えよう。

カンヌ国際映画祭…衣笠貞之助『地獄門』（パルムドール）

　黒澤明『影武者』（パルムドール）

　今村昌平『楢山節考』（パルムドール）『うなぎ』（パルムドール）

　河瀬直美『萌の朱雀』（カメラドール）『殯の森』（グランプリ）

　濱口竜介『ドライブ・マイ・カー』（脚本賞他）

　早川千絵『PLAN75』（カメラドールスペシャル・メンション）

　是枝裕和『怪物』（クィア・パルム賞）※この作品で坂元裕二が脚本賞

ヴェネツィア国際映画祭…黒澤明『羅生門』（金獅子賞・イタリア批評家賞）

　溝口健二『西鶴一代女』（国際賞）『雨月物語』（銀獅子賞・イタリア批評家賞）
『山椒大夫』（銀獅子賞）

　稲垣浩『無法松の一生』（金獅子賞）　　是枝裕和『幻の光』（金のオゼッラ賞）

　竹中直人『無能の人』（国際批評家連盟賞）

　北野武『HANA-BI』（金獅子賞）『座頭市』（銀獅子賞〈監督賞〉）

　黒沢清『スパイの妻』（銀獅子賞）

　濱口竜介『悪は存在しない』（銀獅子賞）

ベルリン国際映画祭…今井正『武士道残酷物語』（金熊賞）
　　　　　　　　　　宮崎駿『千と千尋の神隠し』（金熊賞）

モスクワ国際映画祭…新藤兼人『裸の島』（グランプリ）『裸の十九才』（金賞）

カルロヴィ・ヴァリ
国際映画祭…今井正『真昼の暗黒』（世界の進歩に最も貢献した映画賞）
　　　　　　家城巳代治『異母兄弟』（クリスタル・グローブ賞）

ナント三大陸映画祭…是枝裕和『ワンダフルライフ』（金の気球賞）

過去 8　以下はヨーロッパの建築様式の歴史についての説明であるが、空所A～Dに該当する語句の組み合わせとして、妥当なものはどれか。

　11世紀から12世紀にかけて、イタリアのピサ大聖堂に代表される（　A　）式が西欧で発達した。（　A　）式では、教会堂は石造り天井が基本で、半円状アーチを多用した。また、12世紀からは、パリのノートルダム寺院に代表される（　B　）式が北フランスから興り、全欧に普及した。その後、16世紀後半から、18世紀初めまで、フランスのヴェルサイユ宮殿に代表される（　C　）式が西欧で流行し、18世紀中期には、（　C　）の後を受け、繊細・優雅な装飾性を特徴とした（　D　）式がフランスを中心に流行した。

	A	B	C	D
1	イオニア	ロマネスク	ルネサンス	ゴシック
2	ロマネスク	ゴシック	バロック	ロココ
3	イオニア	バロック	ゴシック	チューダー
4	ロマネスク	ゴシック	ルネサンス	バロック
5	ロマネスク	ゴシック	ロココ	バロック

重要度	★★★	解答時間	2分	正解	2

解説

ロマネスク…11世紀から12世紀。ドーム型の屋根や半円アーチを連ねたアーケードなど、丸みのある重厚な様式が特徴。イタリアのピサ大聖堂が有名。

ゴシック…12世紀半ばから16世紀初め。上へ上へと伸びる垂直の方向性が特徴。代表的な建築はイタリアのミラノ大聖堂、パリのノートルダム寺院。

ルネサンス…15～16世紀。巨大なドームをもつ壮麗で華美な設計が特徴。バチカン市国のサン・ピエトロ大聖堂など。

バロック…16世紀後半から広まった、絢爛豪華な装飾デザインを多用した建築様式。ロンドンのセント・ポール大聖堂やパリのヴェルサイユ宮殿。

ロココ…フランス革命前の18世紀の建築様式。優雅で調和の取れた装飾が特徴。ドイツのサン・スーシ宮殿が代表的な建築。

「歌劇の王」と呼ばれ、「アイーダ」、「リゴレット」、「椿姫」等の歌劇をつくり、イタリア歌劇の全盛期をなしたのは誰か。

1　ロッシーニ
2　ヴェルディ
3　ワーグナー
4　ビゼー
5　プッチーニ

重要度	★	解答時間	1分30秒	正解	2

解説

×1　1792～1868年。イタリアのオペラ作曲家。『セビリアの理髪師』『ウィリアム・テル』が代表作。

○2　1813～1901年。イタリアの作曲家。代表作は他に『ナブッコ』など。

×3　1813～83年。ドイツの作曲家。歌劇『タンホイザー』『ローエングリン』、楽劇『ニーベルングの指環(ゆびわ)』(四部作)『パルジファル』などがある。

×4　1838～75年。フランスの作曲家。オペラ『カルメン』、劇音楽『アルルの女』などを作った。

×5　1858～1924年。イタリアの作曲家。日本女性をヒロインとした『蝶々夫人』や『ラ・ボエーム』『トスカ』『トゥーランドット』などドラマチックでセンチメンタルな作品を作った。

過去 10 17世紀から18世紀にかけてのヨーロッパの文化に関する記述として、最も妥当なのはどれか。

1 フランスのデカルトは帰納法を確立し、イギリスのフランシス＝ベーコンは演繹法を確立した。

2 カントはイギリスの経験論と大陸の合理論を総合して、ドイツ観念論を確立した。

3 フランスでは財務総監のテュルゴーが『経済表』を著し、ケネーが重農主義を唱えた。

4 絵画では、スペインのベラスケスやムリリョ、フランドルのエル＝グレコらが描いた肖像画や宗教画が宮廷の装飾として発展した。

5 建築では、18世紀に入ると、繊細優美なロココ様式に代わって、豪壮華麗なバロック様式が広まった。

重要度	★★★	解答時間	2分	正解	2

解説 **カント**はイギリス経験論と大陸合理論を批判的に総合し、ドイツ観念論哲学を確立した。

×**1** デカルトは演繹法、ベーコンは帰納法を確立した。演繹法は、一般的真理から個々の現象を説明するもの。帰納法は、観察や実験から得た個々の事例から一般的真理を導き出すもの。

○**2** カントは批判精神を重視した。

×**3** 『経済表』を著して重農主義を打ち立てたのはケネー。『経済表』は富の源泉は農業生産にありとするもの。テュルゴーはケネーの弟子。

×**4** エル＝グレコは16〜17世紀にかけてのヴェネチア派の画家。フランドル地方で活躍したのはフランドル派で、ブリューゲル、ルーベンスなど。

×**5** 16世紀後半〜18世紀初めまで豪壮華麗なバロック様式が流行し、その後、18世紀後半まで繊細優美なロココ様式が流行した。

9 国語

過去 1 言葉に関する記述として、妥当なものはどれか。

1「風の便り」が正しく、「風の噂」は誤用である。
2「うる覚え」が正しく、「うろ覚え」は誤用である。
3「公算が強い」が正しく、「公算が大きい」は誤用である。
4「必死の覚悟」が正しく、「決死の覚悟」は誤用である。
5「飛ぶ鳥跡を濁さず」が正しく、「立つ鳥跡を濁さず」は誤用である。

重要度	★	解答時間	2分	正解	1

解説

○**1**「どこからともなく伝わってくる消息や噂を耳にすること」を「風の便りに聞く」という。

✕**2**「うろ」は「確かでない」ことを表す接頭語で、「うろ覚え」は「はっきりしない記憶」や「ぼんやり覚えていること」の意味。

✕**3**「公算」は「あることが起こる見込み、可能性」のことだから、これに呼応する語は「強い・弱い」ではなく「大きい・小さい」になる。

✕**4**「決死の覚悟」は「死ぬ覚悟で事に当たること」。

✕**5**「鳥が水辺を去る時は、水辺を濁さず、澄んだままにして飛び立つ」という意味なので、「飛んでいる鳥」ではなく「飛び立とうとしている鳥」。

▶▶ **慣用句を覚える**

上を下への大騒ぎ（「上や下への大騒ぎ」は誤用）
押しも押されもしない［もせぬ］（「押しも押されぬ」は誤用）
物議を醸す（「物議を呼ぶ」は誤用）

次の文章は『方丈記』の一節であるが、文中の下線部分の内容と一致するものはどれか。

　おほかた、この所に住み始めし時は、あからさまと思ひしかども、今既に、五年を経たり。仮の庵も、やや故郷となりて、軒に朽葉深く、土居に苔むせり。おのづから、事の便りに都を聞けば、この山に籠りゐて後、<u>やむごとなき人のかくれ給へるも、あまた聞ゆ。まして、その数ならぬ類、尽してこれを知るべからず。</u>度々の炎上に滅びたる家、またいくそばくぞ。ただ、仮の庵のみ、のどけくして、恐れなし。

1　高貴な人の亡くなられた話も数多く聞こえてきた。まして、とるに足りない人の死んだ例は到底これを知りつくすことはできない。
2　高貴な人の亡くなられた話も数多く聞いたが、正確な数を知りたいとは到底思わない。
3　高貴な人が戦乱を逃れて都を去っていったと聞いたが、その数を知る手段など到底ありえない。
4　高貴な人の亡くなられた話は数多く聞こえてきた。しかし、とるに足りない人の死んだ例は知ったところで仕方のないことだ。
5　高貴な人が戦乱を逃れて都を去っていったと聞いた。ましてとるに足りない人の逃れた例は枚挙にいとまがない。

| 重要度 | ★★★ | 解答時間 | 4分 | 正解 | 1 |

解説 問題文はかつて住んでいた都の噂を耳にした時の気持ちを述べた部分である。作者は鴨長明。

「やむごとなき人」は「高貴な人」、「かくれ給へる」は「お亡くなりになる」の意だから、「都を去った」と訳した 3 と 5 は不正解。
「数ならぬ類」は「とるに足りない人」で、「正確な数」とした 2 は誤り。
「尽して」は「到底」、「これを知るべからず」の「べからず」は可能の意味の「べし」の否定形で「できない」の意だから、「知ったところで仕方のないことだ」と訳した 4 は不正解。

次の和歌のうち、「掛詞」が使われていないものはどれか。

1 大江山　いく野の道の　遠ければ　まだふみも見ず　天の橋立
2 難波江の　蘆のかりねの　ひとよゆゑ　みをつくしてや　恋ひわたるべき
3 いにしへの　奈良の都の　八重桜　けふここのへに　匂ひぬるかな
4 世の中よ　道こそなけれ　思ひ入る　山の奥にも　鹿ぞ鳴くなる
5 ほととぎす　鳴きつる方を　ながむれば　ただ有明の　月ぞ残れる

重要度	★★★	解答時間	3分	正解	5

解説 いずれも『小倉百人一首』である。

○1 作者は和泉式部の娘である小式部内侍。歌人として知られた母がいなくてはいい歌が作れないだろうとからかわれた時に、返事として作った歌。「いく野」に地名の「生野」と「行く」、「ふみ」に「文」と「踏み」を掛けてある。表の意味は「大江山を越えていく生野への道は遠いので、まだその向こうの天の橋立には行ったことがありません」だが、裏に「まだ母からの手紙は見ていません」の意が込められている。

○2 皇嘉門院別当。「かりね」に「刈根」と「仮寝」、「ひとよ」に「一節」と「一夜」、「みをつくし」に「澪標」と「身を尽くし」を掛けてある。「難波江の蘆の刈根の一節のように、ほんの短い旅の仮寝の一夜のために、私は澪標のように、身をつくして、あなたを恋い続けるのでしょうか」

○3 伊勢大輔。「けふ」に「京」と「今日」、また、「ここのへ」に八重桜に対する「九重」と「宮中」を掛けてある。「むかし奈良の都に咲いていた八重桜が、今日は京の都の宮中でいっそう美しく咲き匂っています」

○4 藤原俊成。「思ひ入る」に「思いつめる」と「(山に)入る」を掛けてある。「世の中には憂いから逃れる道はないのだなあ。思いつめて入ってきたこの山の奥にも、わびしげに鹿が鳴いている」

✕5 藤原実定。「ほととぎすの声のする方をながめてみると、もうほととぎすの姿はなく、ただ有明の月だけが空に残っているよ」

過去 4

次のような状況におけるＡ主事の表現（a）〜（e）のうち、敬語の使い方として、最も妥当なものはどれか。

Ａ主事はＢ課の職員である。Ｂ課長は、留守中に研究者のＣ氏が訪問する予定であったので、あらかじめＡ主事に対応を頼んでいた。訪問したＣ氏に対してＡ主事は次のように挨拶した。

(a)「課長はあいにく留守をいたしておりますが、よろしく申しておりました。」
(b)「課長はＣ先生のことをよくご存知で、論文などをお読みになっています。」
　　Ｃ氏は、Ｂ課が所管している事務に関連して、ある資料を探しているとのことであった。
(c)「該当しそうな資料を探してみたのですが、こちらの書類で結構ですか。」
　　Ｃ氏はその書類に満足したので、Ａ主事はそれを渡した。Ｂ課長が戻ってからＡ主事は次のように報告した。
(d)「こちらの部署は資料がよく揃っているので感心したとおっしゃられていました。」
(e)「以前から探していらした資料を差し上げたので、お喜びになって帰りました。」

1 (a)　　　**2** (b)　　　**3** (c)　　　**4** (d)　　　**5** (e)

| 重要度 | ★ | 解答時間 | 1 分 30 秒 | 正解 | 1 |

 解 説

○**1**「申す」は「言う」の謙譲語。
×**2**「ご存知」「お読みになる」は尊敬語。課長は自分側の人間なので、外部の人に対しては、謙譲表現の「存じあげる」「拝読する」にする。
×**3**「結構」は相手がこちらに返す言葉。「よろしいですか」が正しい。
×**4**「おっしゃられる」は「おっしゃる」と「れる」（尊敬の助動詞）で二重敬語。「おっしゃっていました」が正しい。
×**5**「帰る」の尊敬語「帰られました」「お帰りになりました」にする。

春の季語が入った俳句として、妥当なものはどれか。

1　草臥れて宿借るころや藤の花
2　目には青葉山ほととぎす初松魚
3　寂として客の絶間の牡丹かな
4　菊の香や奈良には古き仏たち
5　岩はなやここにもひとり月の客

| 重要度 | ★★★ | 解答時間 | 1分30秒 | 正解 | 1 |

解 説　季節の風物が織り込まれているので、季語が見つけやすい句である。

○1　松尾芭蕉。季語は「藤の花」で春。「草臥れて」は「くたびれて」。
×2　北村季吟の門下だった山口素堂。季語は「青葉」と「ほととぎす」と「初松魚（はつがつお）」で夏。
×3　与謝蕪村（よさぶそん）。季語は「牡丹（ぼたん）」で夏。「寂」の読みは「せき」。「賑わっていた牡丹園の客がいっとき途絶えた。その寂然とした空間にこそ、艶麗な牡丹がひときわ美しく輝く」
×4　松尾芭蕉。季語は「菊」で秋。「九月九日の重陽の節句の日、奈良の古い御仏たちは菊の香りに包まれている」
×5　向井去来。季語は「月の客」で秋。「月の美しい夜に岩の突端に月を眺めている風流人を見つけた」

 季語に強くなる

麦秋（ばくしゅう）…麦は初夏に熟すので「夏」の季語。
柳・青柳・若柳・柳陰…「夏」の季語だと考えやすいが、芽吹いたばかりの青々とした葉が美しいので「春」の季語である。
小春・小春日・小春日和（こはるびより）…立冬を過ぎたころの春のように暖かい日のことで、十一月ごろ。したがって「冬」の季語。

| 過去 6 | 次の外来語とその言い換え語の組合せとして、最も妥当なのはどれか。 |

1 アセスメント ― 破局
2 ロゴス ― 情熱
3 ニヒリズム ― 叙情主義
4 アレゴリー ― 寓意
5 ディテール ― 規範

| 重要度 | ★★ | 解答時間 | 1分30秒 | 正解 | 4 |

✕1 アセスメントとは物事の総体としての評価。査定。例えば、環境アセスメントとは、開発事業の内容を決めるに当たって、それが環境にどのような影響を及ぼすかについて、環境の保全を目的として、あらかじめ調査、予測、評価を行うことを言う。

✕2 ロゴスとは言葉、意味、論理などを表す抽象的な概念。古代ギリシャで生まれた哲学的言葉。

✕3 ニヒリズムとは虚無主義。すべての物事に意義や価値はないとする傾向とその主張。叙情主義はリリシズムで、抒情詩的な趣や味わいのこと。

○4 アレゴリーとは比喩、寓意。また比喩を用いて風刺・教訓などを暗示的に表現する技法。

✕5 ディテールとは全体の中の細かい部分、細部。規範とは行動や判断、評価などの基準となる規則。

過去 7	次の四字熟語のうち、漢字とその意味がともに妥当なものはどれか。

1 　慇懃無礼　堅苦しい礼儀を必要としない、親しい間柄のこと。
2 　我田引水　言動があやふやではっきりとしないこと。
3 　一視同仁　視野が狭くひとつの見方しかできないこと。
4 　隠認自長　じっと我慢して軽はずみな行動をしないこと。
5 　鎧袖一触　わずかな力で相手をうち負かすこと。

重要度	★★★	解答時間	2分	正解	5

解 説 　1・2・3 は漢字の表記は正しいが、意味が違う。4 は四字熟語の意味は正しいが、漢字の表記が間違っていることを見落とさないように。

✕1 表面上は礼儀正しいが、内心では相手を軽視している態度という意味。

✕2 自分の田にだけ水を引くということから、自分に都合がいいように事を運んだり、説明したりすること。

✕3 すべてのものをわけへだてせず、同等のものと見なして、同じように愛を与えること。

✕4 意味は合っているが、表記は正しくは「隠忍自重（いんにんじちょう）」。

○5 「鎧袖一触（がいしゅういっしょく）」は、鎧（よろい）の袖をひと振りするくらいで敵をうち負かしてしまうことから。

四字熟語に強くなる

一石二鳥（いっせきにちょう）…ひとつの行いでふたつの利益を得ること。
一朝一夕（いっちょういっせき）…ひと朝とひと晩くらいのわずかな時間。
侃々諤々（かんかんがくがく）…大いに議論する様子。「侃々諤々と議論をたたかわせる」
喧々囂々（けんけんごうごう）…大勢が勝手に発言してやかましい様子。「喧々囂々の非難を受ける」

過去 8

a～eの動詞のうちで上一段活用にあたらないものの組み合わせはどれか。

a　着る
b　知る
c　散る
d　似る
e　見る

1　a、b
2　b、c
3　c、d
4　d、e
5　e、a

| 重要度 | ★ | 解答時間 | 3分 | 正解 | 2 |

解説

　上一段活用とは、語尾が五十音図のイ段の音（い・き・し・ち・に・ひ・み・り・ゐ）で、未然形（「ない」「う」などがつく）、連用形（「た」などがつく）、連体形（「とき」などがつく）、仮定形（「ば」がつく）、命令形（「ろ」がつく。文語では「よ」）として活用する動詞。

	活用	語幹	未然形	連用形	終止形	連体形	仮定形	命令形
着る	上一段	(き)	き	き	きる	きる	きれ	きろ
知る	五段	し	ら(ろ)	り(っ)	る	る	れ	れ
散る	五段	ち	ら(ろ)	り(っ)	る	る	れ	れ
似る	上一段	(に)	に	に	にる	にる	にれ	にろ
見る	上一段	(み)	み	み	みる	みる	みれ	みろ

類義語の組み合わせとして、妥当でないのはどれか。

1　造形……意匠
2　丁寧……慇懃
3　承認……是認
4　技量……手腕
5　思慮……分別

重要度	★★	解答時間	1 分 30 秒	正解	1

解　説

✕**1** 造形は形をつくり上げること。意匠とは工夫をめぐらすこと。趣向。類義語ではない。

〇**2** 慇懃とは人に接する態度が礼儀正しいこと。類義語である。

〇**3** 是認とはよい、またはそうだとして認めること。類義語である。

〇**4** 技量、手腕ともに物事を行う腕前、実力のこと。類義語である。

〇**5** 思慮とは注意深く思いをめぐらせて考えること。分別とは常識的で慎重な判断や考慮をすること。類義語である。

▶▶ **類義語に強くなる**

貧困……窮乏	起源……発祥	無口……寡黙
永遠……悠久	交渉……折衝	手柄……勲功
譲歩……妥協	削除……抹消	容赦……勘弁
邪魔……阻害	綿密……克明	疑惑……不審
辛苦……難儀	暗示……示唆	体裁……外聞

次の漢字のうち、部首名が誤っているものはどれか。

1 郡　おおざと
2 補　ころもへん
3 衝　ぎょうがまえ
4 酸　ふるとり
5 泰　したみず

重要度	★	解答時間	1分30秒	正解	4

解説

○**1**「阝」は漢字の右側にあるものは「おおざと」、左側にあるものは「こざとへん」という。

○**2**「衤ころもへん」とよく似ている部首に「礻しめすへん」がある。混同しないように注意しよう。

○**3** 左側に「彳」だけがある場合は「ぎょうにんべん」だが、両側で「行」になっているものは「ぎょうがまえ」という。

✕**4**「酉」の部首名は「とりへん」。この字が十二支の酉で、暦にも用いられることから「日読み（暦のこと）のとり」ともいう。「ふるとり」は「隹」のこと。

○**5**「氺」は水を表す「氵さんずい」の仲間で、「したみず」という。

▶▶ **部首名を覚える**

- **かまえ**…冂（まきがまえ・けいがまえ）／勹（つつみがまえ）／匚（はこがまえ）／匸（かくしがまえ）／囗（くにがまえ）
- **たれ**…厂（がんだれ）／广（まだれ）／疒（やまいだれ）
- **かんむり**…冖（わかんむり）／宀（うかんむり）／穴（あなかんむり）老（おいかんむり）／虍（とらかんむり）
- **かしら**…彑・彐・彐（けいがしら）／罒（あみがしら）／癶（はつがしら）

> **過去 1** 主語を S、動詞を V、目的語を O、補語を C で表したとき、次の英文のうちで文型 SVOC にあたるものはどれか。

1　I happened to meet him yesterday.
2　The news made him happy.
3　I don't know how to use a computer.
4　She told me that he went to Tokyo.
5　What matters is how you play the game.

重要度	★ ★ ★	解答時間	1 分	正解	2

×**1** happen to *do* は「偶然…する」の意味。この to 不定詞は補語（C）で、この文は SVC〈第 2 文型〉。

○**2**〈make ＋人＋形容詞〉は「（人）を…にする」という意味。「そのニュースは彼を喜ばせた」him（O）、happy（C）の SVOC〈第 5 文型〉。

×**3** how to use a computer は「コンピュータの使い方」という意味。この名詞句は目的語（O）で、この文は SVO〈第 3 文型〉。

×**4**〈tell ＋人＋ that 節〉は「（人）に…と言う」という意味。me（O）、that 節（O）でこの文は SVOO〈第 4 文型〉。

×**5** What は先行詞を含んだ関係代名詞で「…すること」という意味。matters は「（事が）重要である」という意味の自動詞。よって、What matters は「重要なこと」という意味になり、この文の主語（S）。how 節は「あなたがどのように試合をするか」で補語（C）。この文は SVC〈第 2 文型〉。

過去 2 次の英文のなかで、never の語順が誤っているものはどれか。

1　You never think of anything but that child!
2　"Have you ever seen a panda?"
　　"No, I have never."
3　"This is too much."
　　"Never mind."
4　I have never been to Madrid.
5　Never having seen her before, I didn't recognize her.

| 重要度 | ★★ | 解答時間 | 1分 | 正解 | 2 |

○**1** never *do* は〈現在の習慣〉を表す。「君はいつもあの子のことしか考えていない！」
×**2** 〈頻度〉を表す副詞 never「決して…ない」は、現在完了の文では〈have never + 過去分詞〉の語順になるが、省略された応答文では "No, I never have."「いいえ、一度もありません」の語順になる。
○**3** Never mind. は「気にするな、構わないよ」という意味の慣用表現。
○**4** have never been to … は「…へは一度も行ったことがない」。
○**5** 否定形の分詞構文では、否定語は分詞の前に置く。Never having seen her before, は「彼女には一度も会ったことがないので」。

覚 え て お こ う

一般的な副詞の位置に関する原則を覚えておこう。
1　動詞を修飾する副詞は、文中では動詞の前、助動詞の後に置く。
　　I have **already** finished my homework.「もう宿題を終えました」
2　形容詞・副詞を修飾する副詞は、その前に置く。
　　Don't walk **too** fast!「あまり速く歩かないで」（副詞の修飾）

<table>
<tr><td>過去
3</td><td>次の英文は助動詞 will の意味のうち、未来、傾向、習慣、習性、推測の用例を 1 つずつ挙げたものである。このうち推測の意味で使われているものはどれか。</td></tr>
</table>

1　Wolves will not come near fire.
2　Accident will occur in the evening.
3　He will sit there for hours doing nothing.
4　I will be seventeen next month.
5　This will be the book you are looking for.

重要度	★★★	解答時間	1 分	正解	5

✕**1**「オオカミは火に近寄らないものだ」この will は〈習性〉を表す。

✕**2**「事故は夜に起こるものだ」この will は〈傾向〉を表す。

✕**3**「彼は何時間も何もしないでそこに座っていることがある」この will は「…するものだ」の意味で〈習慣〉を表す。

✕**4**「私は来月17歳になります」この will は〈未来〉を表す。

○**5**「これがあなたが探している本でしょう」この will は〈推測〉を表す。

覚 え て お こ う

助動詞の will には、ほかに〈意志〉〈依頼〉〈命令〉を表す用法もある。

1　「…しよう」話し手の〈意志〉
　　I **will** make dinner for you.「私があなたの夕食を作りましょう」

2　「…してくれませんか」〈依頼〉
　　Will you please bring me a glass of water?「水を一杯持ってきてくださいませんか」

3　「…しなさい」〈命令〉
　　You **will** do as I tell you.「私の言うとおりにしなさい」

完了形には現在までの「状態の継続」と「現在までの経験」を表しているものがあるが、後者に該当するものはどれか。

1 She has been absent from school for three days.
2 I have read the novel before, so I know the end of it.
3 We have known each other for many years now.
4 There has been no rain here for the past two weeks.
5 How long have you lived here? For over ten years.

重要度	★★★	解答時間	1分	正解	2

解 説

✕**1**「彼女は3日間学校を休んでいる」文の中に for three days「3日の間」があるので、〈状態の継続〉を表している。

◯**2**「私は以前その小説を読んだことがあるので結末を知っている」副詞によって判別できる before があるので〈現在までの経験〉を表している。

✕**3**「私たちはこれまで長年の知り合いだ」文の中に for many years「長年の間」があるので〈状態の継続〉を表している。

✕**4**「ここでは過去2週間雨が降っていない」文の中に for the past two weeks「過去2週間」があるので、〈状態の継続〉を表している。

✕**5**「あなたはどのくらいここに住んでいますか」「10年以上です」How long ... ?「どのくらい…」があるので、〈状態の継続〉を表している。

覚 え て お こ う

現在完了〈完了・結果〉〈継続〉〈経験〉の文で用いられる時を表す副詞
- 〈完了・結果〉「…してしまった」 — just「たった今」、already「すでに」
- 〈継続〉「ずっと…している」 — for...「…の間」、since...「…以来」
- 〈経験〉「…したことがある」 — ever「かつて」、never「一度も…ない」、before「以前」、often「しばしば」、once「一度」

次の英文のうち、文法的に正しいものはどれか。

1 The books were laying all over the floor.
2 I'm looking forward to visit my uncle.
3 I have to be repaired my watch.
4 There are running four people there.
5 I would often play baseball when I was a child.

| 重要度 | ★ ★ ★ | 解答時間 | 1分 | 正解 | 5 |

 解 説

✕1 「本が床じゅうに散らかっていた」 The books(S)、all over the floor (M)、そして were laying には目的語がないので、laying は自動詞の現在分詞でなければならない。ところが laying は他動詞 lay「(物)を置く」の現在分詞。laying を自動詞 lie「(物が)ある」の現在分詞 lying にする。

✕2 「私はおじを訪ねるのを楽しみに待っている」 look forward to…「…を楽しみに待つ」の to は前置詞なので、visit を動名詞 visiting にする。

✕3 「私は時計を修理しなければならない」〈have〔get〕＋物＋過去分詞〉は「(物)を…させる、…してもらう」の意味。I have to have〔get〕 my watch repaired. にする。

✕4 「そこで4人が走っている」〈There ＋ be 動詞＋ S ＋現在分詞〉で「S が…している」という意味を表す。There are four people running … にする。ただし文頭に There があるので、文末の there は重複をさけるために〈in ＋名詞〉に書き換えた方が自然。

◯5 「私は子どもの頃、しばしば野球をしたものだ」 助動詞 would は、過去を示す副詞句〔節〕とともに用いて、「よく…したものだった」という意味の過去の〈習慣〉を表す。

過去 6 次の文の空所に入る語句として、妥当なものはどれか。

I wish I (　　　) harder when I was young.

1 studied   **2** have studied
3 had studied   **4** would study
5 didn't study

重要度	★★	解答時間	1分	正解	3

解 説

✕**1** 〈I wish ＋ S ＋過去形 …〉は〈I wish ＋仮定法過去〉の形。この形は「…だとよいのに」という意味で、現在において実現できないことを願望するときの表現。ところが when 節の時制が過去で、時制が合わない。

✕**2** 同様の理由から、過去のことを仮定して述べる文では、I wish のあとの動詞の時制は現在完了ではなく、過去完了でなければならない。

〇**3** 「私が若かった頃もっと一生懸命勉強していたらなあ」when 節の時制が過去なので、過去に実現できなかったことに対する願望を表す〈I wish ＋仮定法過去完了〉の形を作る。

✕**4** 同様の理由から、I wish のあとに助動詞の過去形が続く場合は、〈助動詞の過去形＋ have ＋過去分詞〉でなければならない。

✕**5** I wish のあとの文に過去の否定文がくれば「（現在）…でなければいいのに」という意味になって、文意が通らない。

▶ **その他の仮定法表現**

- 〈It is time ＋仮定法過去〉「もう…すべき時間だ」
  It's time you **went** to bed. 「もう寝る時間よ」
- 〈as if[though] ＋仮定法過去（完了）〉「まるで…（だった）かのように」
  She speaks **as if** she **were** my wife. 「彼女はまるで私の妻のような話し方をする」

過去 7 空所に所有格の関係代名詞である whose があてはまる英文として、最も妥当なものはどれか。

1 I congratulated Mrs. Jones, (　　　) son had passed the examination.
2 I visited my uncle, (　　　) was not at home.
3 The ship struck an iceberg, (　　　) tore a huge hole in her side.
4 It was a rare butterfly, (　　　) some collector paid 100 dollars.
5 The skiing school had ten instructors, (　　　) were excellent.

重要度	★★★	解答時間	1分	正解	1

解説

○**1**「私はジョーンズ夫人にお祝いを述べたが、彼女の息子さんが試験に合格したからだ」先行詞 Mrs. Jones と空所の後ろの名詞は「彼女の息子さん」という関係なので、関係代名詞〈所有格〉whose が入る。いずれの文も空所の前にコンマがあるので、関係代名詞は非制限用法である。

×**2**「私はおじを訪ねたのだが、おじは留守だった」先行詞 my uncle は空所の後ろの文では主語の役割を果たすので、空所に入るのは〈人〉を先行詞にする関係代名詞〈主格〉who。

×**3**「船は氷山に衝突し、氷山は船腹に巨大な穴を開けた」先行詞 an iceberg は空所の後ろの文では主語の役割を果たすので、空所に入るのは〈人以外〉を先行詞にする関係代名詞〈主格〉which。

×**4**「それは珍しいチョウで、収集者の中には100ドル払う者もいた」〈pay ＋代金＋ for ＋物〉で「（物）に対して（代金）を支払う」の意味になる。先行詞 a rare butterfly は空所の後ろの文では前置詞 for の目的語の役割を果たすので、最も妥当なのは〈人以外〉を先行詞にする関係代名詞〈目的格〉which。関係代名詞節には前置詞 for も抜けているので、空所には〈前置詞＋関係代名詞〉の形の for which が入ることになる。

×**5**「そのスキー学校には10人のインストラクターがいたが、彼らは優秀だった」先行詞 ten instructors は空所の後ろの文では主語の役割を果たすので、空所に入るのは〈人〉を先行詞にする関係代名詞〈主格〉who。

過去
8

次の英文の空所A〜Dにあてはまる単語を下の語群から選び、英文を完成させると、1つだけ余るが、その単語はどれか。なお、語群の中の単語はすべて小文字にしてある。

・If you sit (A) me, it's easier to talk than if we sit next to each other.
・It was thoughtless of him to climb the mountain (B) a map of the area and a compass.
・Jack would be the (C) person to believe that.
・(D) you watch your step, you'll tumble down the stairs.

【語群】 against   last   unless   opposite   without

1 against   **2** last   **3** unless
4 opposite   **5** without

重要度	★	解答時間	1分	正解	1

 解 説

A 「もしあなたが私（ A ）に座れば、私たちが隣どうしに座るより話しやすい」選択肢の中で場所を表す前置詞は **1** against …「…に寄りかかって」と **4** opposite …「…と向かい合って」。この文脈では **4** opposite が最も適切。
B 「その地域の地図とコンパス（ B ）山に登るなんて彼は軽率だった」選択肢の中で、「…なしで」の意味を持つ前置詞は **5** without のみ。
C 「ジャックはそれを信じる（ C ）な人だろう」選択肢の中で the と person の間に入ることができる形容詞は **2** last のみ。〈the last ＋名詞＋ to 不定詞〉は「最も…しそうでない（名詞）」という意味。
D 「あなたが足元を見る（ D ）、あなたは階段から落ちるでしょう」（ D ）の後ろが you（S）、watch（V）を含んでいるので、（ D ）には接続詞が入ることになる。選択肢の中で接続詞は **3** unless …「…でなければ」のみ。
以上より、どれにも入らないのは **1** の against。

過去 9 次の英文のうちで語法が妥当なものはどれか。

1 I don't know if or not it is true.
2 Regrettably, I do not agree to you.
3 He as well as they are not excellent.
4 She worked hard that she may succeed.
5 Such an able man ought to be recognized.

| 重要度 | ★ | 解答時間 | 1分 | 正解 | 5 |

 解 説

×**1**「それが正しいかどうか私にはわからない」if と whether は「…かどうか」の意味でほぼ同様に用いられるが、if の直後に or not をつけることはできない。この場合は if を whether に直せば語法は正しくなる。

×**2**「残念ながら、あなたには賛成できません」〈agree with ＋人〉で「(人)と意見が一致する」という意味。to を with に直せば正しくなる。あるいは〈agree to ＋提案〉で「(提案)に同意する」という意味なので、you を your proposal「あなたの提案」に変えれば「あなたの提案には賛成できません」という意味になり正しくなる。

×**3**「彼らと同様に彼も優秀ではない」〈A as well as B〉が主語になるときは、述語動詞の人称・数は A に一致する。are を is に直せば正しくなる。

×**4**「彼女は成功するように一生懸命働いた」副詞節を導く that には〈目的〉〈結果〉〈根拠・理由〉などを表す用法があるが、このうち may と最もよく結びつくのは〈目的〉用法。この場合 that を単独で用いるのはまれで、普通〈so that … may〉の形で用いられる。この文では that の前に so を入れれば正しくなる。

○**5**「そんな有能な人は高く評価されるべきだ」〈such a[an] ＋形容詞＋名詞〉は「そんなに…な(名詞)」の意味。ought to は助動詞で「…すべきである」。recognized は、「…を認める、高く評価する」という意味の他動詞 recognize の過去分詞で、この場合 an able man は「認められる(評価される)」という受動の立場なので過去分詞を用いる。

120

次の３つの文の空所ア～ウに入る語句の組み合わせとして、妥当なものはどれか。

We will travel to San Francisco （ ア ） Chicago.
Our thoughts and feelings are expressed （ イ ） language.
It is extremely difficult to （ ウ ） his poems.

	ア	イ	ウ
1	in view of	by way of	make efforts to
2	by way of	by means of	make sense of
3	in view of	by way of	give rise to
4	by means of	in view of	make sense of
5	by way of	in terms of	make efforts to

重要度	★★	解答時間	1分	正解	2

 解 説

1文目の意味は「私たちはシカゴ（ ア ）サンフランシスコに旅行するつもりです」。適切なのは by way of …「…経由で」。
2文目の意味は「私たちの考えや感情は言語（ イ ）表される」。適切なのは by means of …「…によって、…を用いて」。
3文目の意味は「彼の詩を（ ウ ）するのは非常に困難である」。適切なのは make sense of …「…を理解する」。
以上より、ア、イ、ウのそれぞれに適切な組み合わせの**2**が正解。

SECTION 2 人文科学 攻略法

日本史

- 高校3年生程度の基本的事項です。
- 江戸幕府や明治維新も多く出題されます。大正、昭和の近・現代史もきっちりとおさえておいてください。

世界史

- ヨーロッパ史、中国史など、地域別に整理しておきましょう。
- 世界史における近・現代も重要なテーマです。

地理

- 各国の特色ある生産物、地形や気候などの主要データは、必ず覚えておきましょう。
- さまざまな資源の輸出入の特徴もおさえておいてください。

思想

- それぞれの時代の哲学・思想は体系的に整理しておきましょう。
- 哲学・思想用語はもう一度復習してみましょう。

文学・芸術

- 日本文学や西洋文学、音楽や絵画、建築など幅広く出題されます。
- 古典に加えて、現代の作品に対する知識も蓄えておいてください。

国語

- 同意語・反対語・同音異義語・四字熟語は必ずチェックしておきましょう。
- ことわざや敬語の問題も出題されています。

英語

- 文型や関係代名詞、仮定法、現在完了などを中心に勉強してください。
- 高校までの総復習をきちんとしておきましょう。

SECTION ③

自然科学

広い知識が求められます。科学的に事物をとらえて、分析する能力が必要です。高校までの復習を心掛けましょう。

SECTION **3** 自然科学

11 数学

予想1

2次方程式 $2x^2+x-4=0$ の2つの解をα、β とするとき、$\alpha^2+\beta^2$ の値として正しいものはどれか。

1 $\dfrac{11}{4}$ **2** $\dfrac{13}{4}$ **3** $\dfrac{15}{4}$ **4** $\dfrac{17}{4}$ **5** $\dfrac{19}{4}$

重要度	★★★	解答時間	2分	正解	4

解説

$x=\dfrac{-1\pm\sqrt{33}}{4}$ と解いて代入することも可能だが、解と係数の関係より、

$\alpha+\beta=-\dfrac{1}{2}$、$\alpha\beta=-2$ を利用し、

$\alpha^2+\beta^2=(\alpha+\beta)^2-2\alpha\beta$

$\qquad\qquad=\left(-\dfrac{1}{2}\right)^2-2\times(-2)=\dfrac{17}{4}$

覚 え て お こ う

2次方程式の解と係数の関係

$ax^2+bx+c=0$ の2つの解を $x=\alpha$、β とするとき、

$\alpha+\beta=-\dfrac{b}{a}$、$\alpha\beta=\dfrac{c}{a}$

過去2 $0°\leqq\theta\leqq180°$ で、$\tan\theta=-\dfrac{\sqrt{7}}{3}$ のとき、$\sin\theta-\cos\theta$ の値として、正しいのはどれか。

1　$12+12\sqrt{7}$

2　$12-12\sqrt{7}$

3　$-\dfrac{3+\sqrt{7}}{4}$

4　$\dfrac{3+\sqrt{7}}{4}$

5　$\dfrac{\sqrt{7}}{4}$

重要度	★ ★	解答時間	2分	正解	4

 解 説

$\tan\theta=-\dfrac{\sqrt{7}}{3}$ となる図を描いて考えると$\sin\theta$、$\cos\theta$ それぞれの値が分かるので、それらを代入すればよい。

右図より、$AO=\sqrt{3^2+(\sqrt{7})^2}=4$ となるので、

$\sin\theta=\dfrac{\sqrt{7}}{4}$、$\cos\theta=-\dfrac{3}{4}$

よって $\sin\theta-\cos\theta=\dfrac{\sqrt{7}}{4}-\left(-\dfrac{3}{4}\right)=\dfrac{3+\sqrt{7}}{4}$

 覚 え て お こ う

45°三角定規の3辺の比は**1：1：$\sqrt{2}$**
30°、60°三角定規の3辺の比は**1：$\sqrt{3}$：2**

section 3　自然科学　11　数学

過去 3 絶対値記号を用いた次の2つの1次方程式AとBは各々2つの解をもつが、そのうち一方の解は共通である。今、AとBの各々2つの解のうち、共通でないAの解をa、Bの解をbとしたとき、$a-b$の値として、正しいのはどれか。

A $|2x-5| = -x+10$
B $|5x-9| = 3x+1$

1 -10 **2** -6 **3** -4 **4** 4   **5** 10

重要度	★ ★ ★	解答時間	4分	正解	2

絶対値を含む関数はグラフを描いた方がイメージをつかめるが、この問題は単純に、絶対値部分が、正の場合と、負の場合に場合分けをし、解く。

A $2x-5>0$、すなわち$x>\dfrac{5}{2}$のとき、$2x-5=-x+10$を解くと、$x=5$

   $2x-5<0$、すなわち$x<\dfrac{5}{2}$のとき、$-(2x-5)=-x+10$を解くと、$x=-5$

B $5x-9>0$、すなわち$x>\dfrac{9}{5}$のとき、$5x-9=3x+1$を解くと、$x=5$

   $5x-9<0$、すなわち$x<\dfrac{9}{5}$のとき、$-(5x-9)=3x+1$を解くと、$x=1$

   これらより、$a=-5$、$b=1$となるので、
   $a-b=-5-1=-6$

覚 え て お こ う

絶対値部分が、正の場合と、負の場合に場合分けをして解く。
絶対値を含む方程式や不等式はグラフを描いて、x軸より下にある部分をx軸について対称移動する。

過去 **4**

2 次関数 $y=3x^2-6\sqrt{5}\,x+5$ のグラフと座標軸上の原点で点対称となる 2 次関数のグラフを表すものとして、正しいのはどれか。

1 $y=3x^2+6\sqrt{5}\,x-5$
2 $y=3x^2-6\sqrt{5}\,x+25$
3 $y=-3x^2+6\sqrt{5}\,x-5$
4 $y=-3x^2-6\sqrt{5}\,x-5$
5 $y=-3x^2-6\sqrt{5}\,x-25$

重要度	★ ★	解答時間	2 分	正解	4

グラフの形がどうかということより、一つひとつの座標の符号がどのように変換されるかを考えればよい。

$(x,\ y)$ 座標が原点について対称な場合はそれぞれの符号が逆になり $(-x,\ -y)$ となるので、x を $-x$ に入れ替え、y を $-y$ に入れ替えればよい。

$y=3x^2-6\sqrt{5}\,x+5$ の式において、x を $-x$ に入れ替え、y を $-y$ に入れ替えると、$(-y)=3(-x)^2-6\sqrt{5}\,(-x)+5$ となる。以下変形すると、

$-y=3x^2+6\sqrt{5}\,x+5$

$y=-3x^2-6\sqrt{5}\,x-5$

覚 え て お こ う

グラフの移動に関しては以下のような置き換えをする。符号に注意しよう。

- 原点について対称移動：$(x,\ y)\rightarrow(-x,\ -y)$
- x 軸について対称移動：$(x,\ y)\rightarrow(x,\ -y)$
- y 軸について対称移動：$(x,\ y)\rightarrow(-x,\ y)$
- x 軸方向に p、y 軸方向に q 平行移動：$(x,\ y)\rightarrow(x-p,\ y-q)$

放物線 Ａ：$y=2x^2+6x-8$と直線 Ｂ：$y=5x+13$がある。放物線 ＡとＹ軸との交点をa、直線ＢとＹ軸との交点をb、放物線Ａと直線Ｂとの交点でx座標、y座標とも正である点をcとし、a、b、cを頂点にした三角形を三角形abcとする。このとき、点bを通り三角形abcの面積を２等分する直線と Ｘ軸の交点のx座標の値はいくらか。

1　-2
2　2.5
3　5
4　6.5
5　13

重要度	★★★	解答時間	4分	正解	4

解説

Aに$x=0$を代入し$a(0, -8)$、
Bに$x=0$を代入し$b(0, 13)$、
AとBを連立し$2x^2+6x-8=5x+13$
を解き、
$x=3$、-3.5、よって、$c(3, 28)$
求める直線はacの中点$(1.5, 10)$と
$b(0, 13)$を通るので、
$y=-2x+13$、
$y=0$を代入すると、交点のx座標
$x=6.5$が得られる。

過去 6

次の連立2次不等式が成立するxの範囲として、妥当なものはどれか。

$$\begin{cases} x^2+x-6>0 \\ x^2-2x-3<0 \end{cases}$$

1 　$-3<x<-1$
2 　$x<-3$または$2<x$
3 　$-1<x<2$
4 　$x<-1$または$3<x$
5 　$2<x<3$

| 重要度 | ★ ★ ★ | 解答時間 | 3分 | 正解 | 5 |

 解説

$x^2+x-6>0$……①
$x^2-2x-3<0$……②としてそれぞれの解
の重なった部分を求める。

$y=x^2+x-6$のグラフの正になる部分は
$x^2+x-6=0$の解$x=-3$、2より、
$x<-3$、$2<x$……①′

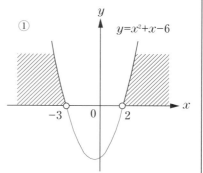

① $y=x^2+x-6$

$y=x^2-2x-3$のグラフの負になる部分は
$x^2-2x-3=0$の解$x=-1$、3より、
$-1<x<3$……②′

①′、②′より $2<x<3$

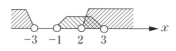

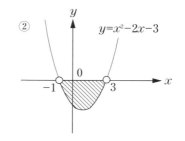

② $y=x^2-2x-3$

3次関数 $y = x^3 - 3x^2 - 9x + 27$ の $-2 \leqq x \leqq 4$ における最小値を a、最大値を b とするとき、a と b の値を求めよ。

1　$a = -3$、$b = 3$
2　$a = 0$、$b = 25$
3　$a = 0$、$b = 32$
4　$a = 7$、$b = 25$
5　$a = 7$、$b = 27$

重要度	★★	解答時間	4分	正解	3

解説

　3次関数なので最小値と最大値はグラフの両端または極値のところで現れる。
$x = -2$、4を代入して両端の座標は（-2, 25）、（4, 7）を得る。
グラフの頂点を求めるために $y = x^3 - 3x^2 - 9x + 27$ を微分すると、
$y' = 3x^2 - 6x - 9$
この値が0のとき、グラフは極大極小
となるので、$3x^2 - 6x - 9 = 0$ を解き、
$x = -1$、3
これらを $y = x^3 - 3x^2 - 9x + 27$ に代入す
ると、グラフの頂点の座標は
（-1, 32）、（3, 0）と分かる。
4つの座標の y 座標から判断し
$a = 0$、$b = 32$

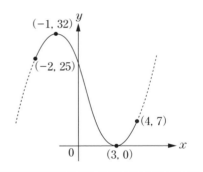

覚えておこう

関数の式は微分すると接線の傾きを表す式になる。
傾きが0のとき、グラフは極大、極小となる。

$y = ax^3 + bx^2 + cx + d$ を微分すると、$y' = 3ax^2 + 2bx + c$

同じ大きさの2つの立方体 A 及び B を並べて、図のように頂点 XY と B の頂点 Z を通る平面で切ると、A、B ともに2つの断片に分かれる。このとき、A の2つの断片の体積比は、次のどれか。

1 5 : 13
2 6 : 15
3 7 : 17
4 8 : 19
5 9 : 20

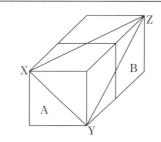

| 重要度 | ★ ★ ★ | 解答時間 | 3分 | 正解 | 3 |

解説

立方体の1辺の長さを1として、考えるとよい。
右図の三角錐をC、Dとし、三角錐台をEとするとき、求める比はE : (A-E) となる。
E=C-D

$$= \frac{1}{3} \times \frac{1}{2} \times 1 \times 1 \times 2 - \frac{1}{3} \times \frac{1}{2} \times \frac{1}{2} \times \frac{1}{2} \times 1$$

$$= \frac{7}{24}$$

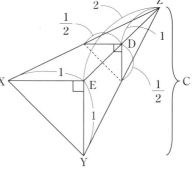

$A-E = 1 - \frac{7}{24} = \frac{17}{24}$

よって、$E : (A-E) = \frac{7}{24} : \frac{17}{24} = 7 : 17$

覚えておこう

「錐(すい)」の体積は「柱」の体積の $\frac{1}{3}$

12 生物

過去 1	次のヒトの細胞のうち、核をもたないものはどれか。

1　白血球
2　精子
3　横紋筋
4　赤血球
5　神経細胞

重要度	★★	解答時間	1分30秒	正解	4

解説　ふつう細胞には核が1つある。それぞれの細胞の特徴は、

○1 白血球はアメーバ状の細胞で、核が1つある。
○2 精子は長いべん毛をもった1つの細胞で、核が1つある。
○3 横紋筋には複数の核がある。
×4 赤血球は無核の細胞で、ヘモグロビンを含んでいて酸素を運搬する。
○5 神経細胞は、細胞体と樹状突起、軸索からなり、細胞体の部分に核を含む。

覚えておこう

この問題に出てくる細胞は、いずれも特徴的な形をしている。白血球や赤血球は体液の恒常性、精子は生殖、横紋筋や神経細胞は生物の反応の分野でも出てくるので、それぞれの形や特徴をよく覚えておこう。

過去2　細胞中に存在する次の小器官のうち、呼吸の場として細胞に必要なエネルギーを供給する役割を果たすものはどれか。

1　核　　　　　2　ゴルジ体　　　3　リボソーム
4　葉緑体　　　5　ミトコンドリア

| 重要度 | ★★★ | 解答時間 | 1分30秒 | 正解 | 5 |

 解説

×1　核は、染色体を含み、遺伝に関与する。
×2　ゴルジ体は、消化液などの分泌に関与し、動物細胞で発達している。
×3　リボソームは、タンパク質合成の場となる。
×4　葉緑体は、クロロフィルなどの光合成色素を含み、光合成の場となる。
○5　ミトコンドリアは、外膜と内膜でできている。

POINT 整理

半透性…細胞膜のように、水などの溶媒の分子は通すが、糖などの溶質の分子を通さない性質。
全透性…細胞壁のように、膜のあなが大きく、溶液中のたいていの溶質の分子を通す性質。

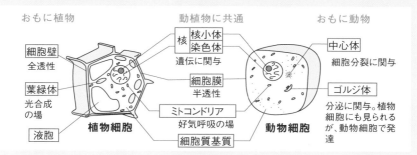

過去
3　酵素に関する記述として、妥当なものはどれか。

1　酵素とは、生体内で触媒作用を行う炭水化物のことである。

2　酵素が作用する物質を原基といい、酵素は特定の原基にだけ働く。

3　多くの酵素が最もよく働く温度は、20度から30度の間である。

4　多くの酵素は中性（pH＝7）付近でよく働く。

5　ミトコンドリアには解糖系に関する酵素がある。

| 重要度 | ★ ★ ★ | 解答時間 | 2分 | 正解 | 4 |

✕**1**　酵素の本体はタンパク質である。生体外で働く酵素もある。

✕**2**　酵素が作用する物質は基質と呼ばれ、酵素が特定の基質にだけ働くことを基質特異性という。

✕**3**　酵素は体温に近い30〜40度で最もよく働く。また、酵素の本体はタンパク質のため、60〜70度以上では変性して、活性を失う（触媒能力を失う）。

○**4**　作用するのに最も適したpHを最適pHという。

✕**5**　ミトコンドリアにはクエン酸回路、電子伝達系（水素伝達系）に関する酵素がある。解糖系に関する酵素は細胞質基質にある。

　酵素の性質

　この問題では4が正解であるが、酵素の中には、ペプシンのように最適pHが酸性に片寄ったもの（pH2付近）やトリプシンのようにアルカリ性に片寄ったもの（pH8付近）があることもおさえておこう。

光合成に関する記述として、妥当なものはどれか。

1 光合成には、緑色光が最も効果的である。

2 光合成のときに放出される酸素は二酸化炭素由来である。

3 光合成による二酸化炭素の吸収量と呼吸による二酸化炭素の放出量が等しいときの光の強さを光飽和点という。

4 陽生植物は陰生植物よりも補償点や光飽和点が高い。

5 光合成の主色素はカロテノイドである。

重要度	★ ★ ★	解答時間	2分	正解	4

✕**1** 緑色光→赤色光・青紫色光…葉が緑色に見えるのは、葉が緑色光を吸収せずに反射しているためである。

✕**2** 二酸化炭素由来→水由来…酸素は水を分解するときに生じる。

✕**3** 光飽和点→補償点（光補償点）…光飽和点とはそれ以上光を強くしても光合成速度が上昇しないときの光の強さ。

〇**4** 強い光のもとで生育する植物を陽生植物という。

✕**5** カロテノイド→クロロフィルa…カロテノイドは光合成のときの補助色素として働く。

POINT 整理

真の光合成速度

＝見かけの光合成速度＋呼吸速度

補償点…光合成による二酸化炭素吸収量と呼吸による二酸化炭素放出量が等しいときの光の強さ。

光飽和点…それ以上光を強くしても光合成速度が上昇しないときの光の強さ。

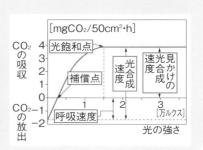

過去 5

カエルの発生の過程を並べた順番として、妥当なものはどれか。

1　受精卵→桑実胚→胞　胚→神経胚→原腸胚
2　受精卵→原腸胚→神経胚→桑実胚→胞　胚
3　受精卵→胞　胚→桑実胚→原腸胚→神経胚
4　受精卵→桑実胚→神経胚→胞　胚→原腸胚
5　受精卵→桑実胚→胞　胚→原腸胚→神経胚

| 重要度 | ★★ | 解答時間 | 1 分 30 秒 | 正解 | 5 |

解 説　**カエルの受精卵は、卵割をくり返し、桑実胚、胞胚、原腸胚、神経胚、尾芽胚と変化していく。それぞれの胚には次のような特徴がある。**

桑実胚…クワの実のように、表面がでこぼこした形をしている。
胞　胚…細胞が並んだボールのような形をしている。
原腸胚（のう胚）…原腸がつくられる段階の胚。陥入による原腸の形成に伴い、胚葉が分化してくる。
神経胚…神経管がつくられる段階の胚。神経板→神経溝→神経管と変化する。

覚 え て お こ う

カエルの発生は、下の図のように、受精卵→桑実胚→胞胚→原腸胚→神経胚→尾芽胚→幼生（オタマジャクシ）→成体という順番で行われる。

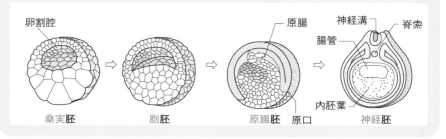

<table>
<tr><td>過去
6</td><td colspan="2">次の器官のうち、内胚葉由来に分類されるものはどれか。</td></tr>
</table>

1 肝臓
2 心臓
3 腎臓
4 神経系
5 筋肉

| 重要度 | ★★ | 解答時間 | 1分30秒 | 正解 | 1 |

○1 内胚葉からは肝臓、すい臓、肺などが形成される。
×2 心臓は中胚葉由来。
×3 腎臓は中胚葉由来。
×4 神経系は外胚葉由来。
×5 筋肉は中胚葉由来。

原腸胚期に形成された胚葉からは、神経胚期になると器官原基が形成され、尾芽胚→幼生→成体の間に器官へと変化する。

胚葉	器官原基	器官
外胚葉	表皮	表皮、眼の水晶体、角膜
	神経管	脳、脊髄、神経、感覚器
中胚葉	脊索	のちに退化する。
	体節	筋肉（骨格筋）、骨格、真皮、脊椎骨
	腎節	腎臓
	側板	心臓、血管、筋肉（平滑筋）、腹膜、腸間膜
内胚葉	消化管	消化管、肝臓、すい臓、呼吸器官（肺、えら）、内分泌器官

予想 7

あるDNAのヌクレオチド鎖がＧＴＡＣＣＡＴＧＡという塩基配列をもつ場合、これを鋳型として合成されるRNAの塩基配列として、妥当なものはどれか。

1　ＧＴＡＣＣＡＴＧＡ
2　ＧＵＡＣＣＡＵＧＡ
3　ＣＡＴＧＧＴＡＣＴ
4　ＣＡＵＧＧＵＡＣＵ
5　ＡＣＧＵＵＧＣＡＧ

重要度	★★★	解答時間	2分	正解	4

解説　**DNAのAにはU、TにはA、GにはC、CにはGが結合。**

　DNAのアデニン（A）にはRNAのウラシル（U）、DNAのチミン（T）にはRNAのアデニン（A）、DNAのグアニン（G）にはRNAのシトシン（C）、DNAのシトシン（C）にはRNAのグアニン（G）が相補的に結合する。よって、合成されるRNAの塩基配列は下のようになる。

DNA…G　T　A　C　C　A　T　G　A
　　　↓　↓　↓　↓　↓　↓　↓　↓　↓
RNA…C　A　U　G　G　U　A　C　U

覚えておこう

ヌクレオチド鎖の塩基の結合
● DNAの塩基対…アデニン（A）−チミン（T）、グアニン（G）−シトシン（C）
● 転写…DNAの塩基配列をRNAに写し取る過程。

DNA：アデニン（A）　チミン（T）　グアニン（G）　シトシン（C）
　　　　↓　　　　　　↓　　　　　　↓　　　　　　↓
RNA：ウラシル（U）　アデニン（A）　シトシン（C）　グアニン（G）

138

予想
8

免疫に関する記述として、最も妥当なものはどれか。

1 だ液や粘液、汗などは弱アルカリ性で、多くの病原体の増殖を防いでいる。

2 好中球やマクロファージ、樹状細胞が食作用を示す相手は特異的である。

3 ナチュラルキラー細胞（NK細胞）は、正常な細胞とウイルスに感染した感染細胞やがん化したがん細胞を識別し、感染細胞やがん細胞を排除する。

4 活性化したキラーT細胞はB細胞を活性化し、形質細胞（抗体産生細胞）へと分化する。

5 感染細胞への攻撃や食作用の増強などの免疫反応を体液性免疫、抗体による免疫反応を細胞性免疫という。

重要度	★★	解答時間	2分	正解	3

解説

×**1** だ液や粘液、汗などは弱酸性で、一般に酸のなかでは細菌の増殖が抑えられる。

×**2** 好中球やマクロファージ、樹状細胞は食細胞と呼ばれ、病原体などを取り込んで消化・分解することで取り除くはたらき（食作用）を示す。食作用を示す相手は特異的ではなく、食細胞はさまざまな異物に対して食作用を行う。

○**3** ナチュラルキラー細胞（NK細胞）は、正常な細胞と感染細胞やがん細胞を識別し、感染細胞やがん細胞を攻撃して排除する。

×**4** 特定の抗原を取り込んだB細胞は、その断片を細胞表面に提示する。同じ抗原によって活性化したヘルパーT細胞がその情報を認識すると、B細胞を活性化させる。活性化されたB細胞は増殖し、形質細胞（抗体産生細胞）へと分化する。

×**5** 感染細胞を直接攻撃したり食作用を増強したりする免疫反応を細胞性免疫といい、ヘルパーT細胞やキラーT細胞が中心となって行われる。特定の抗原に対して抗体を生産し、抗原抗体反応を行うことで、抗原を無毒化する免疫反応を体液性免疫といい、B細胞が中心になって行われる。

過去 9 アレルギー反応に関する次の文章の空所a〜cに該当する語句の組み合わせとして妥当なものはどれか。

花粉やダニなどに由来する異物が（　a　）に侵入したとき、生体の免疫機構が反応して（　b　）がヒスタミンなどを分泌し、これがかゆみや充血をひきおこす。体内に侵入した花粉などの異物を免疫反応では（　c　）という。

	a	b	c
1	血液中	リンパ球	抗原
2	血液中	内分泌腺	抗体
3	粘膜中	リンパ球	抗原
4	粘膜中	内分泌腺	抗原
5	粘膜中	リンパ球	抗体

重要度	★★★	解答時間	2分	正解	1

解説

内分泌腺はホルモンを分泌する。上の文章ではリンパ球がヒスタミンなどを分泌することになっているが、正確にはリンパ球がつくった抗体と結合した肥満細胞がヒスタミンなどを分泌する。また、体外から侵入し、免疫反応を起こさせる花粉などの異物を抗原という。この抗原と反応する物質を抗体といい、リンパ球によってつくられる。

アレルギー反応は、体液性免疫の一種で、血液中の抗体によってひきおこされる。

覚えておこう

体液性免疫では、白血球による抗原の捕食→白血球による抗原情報の提示→リンパ球による抗体の産生→抗原抗体反応、という流れをおさえておこう。

過去10

個体群間の相互作用の一つとして片利共生といわれる関係がある。これは一方は利益を受けるが、他方は特に利害がない関係である。次のうちこの関係にあるものはどれか。

1　イソギンチャクとヤドカリ　　2　アリとアリマキ
3　フジナマコとカクレウオ　　4　ジストマとコイ
5　ヒトデとハマグリ

| 重要度 | ★★ | 解答時間 | 1分30秒 | 正解 | 3 |

解説

✕1　イソギンチャクはヤドカリが利用する貝殻に付着し、運搬してもらうかわりにヤドカリを保護するので、相利共生の関係にある。
✕2　アリはアリマキが出す体液を食物として取り入れるかわりに、アリマキを保護するので、相利共生の関係にある。
◯3　カクレウオはフジナマコの腸の中に寄生しているが、ナマコにとってはなんの得もない。片利共生の関係にある。
✕4　ジストマはコイに寄生し、栄養分を吸い取っている。
✕5　ヒトデはハマグリを食べるので、捕食・被食の関係にある。

POINT 整理

種内関係	なわばり	アユ・ホオジロ
	順位制	ニワトリ・ニホンザル
	リーダー制	サル・シカ
種間関係	種間競争	ゾウリムシとヒメゾウリムシ
	すみわけ	ヤマメとイワナ
	食いわけ	ヒメウとカワウ
	共生	アリとアリマキ（相利共生） コバンザメと大型魚類（片利共生）
	寄生	広葉樹（宿主）とヤドリギ（寄生者）

13 化学

予想1　0℃、1気圧で、ある気体 0.22g の体積は112mL であった。この気体の化学式として、妥当なものは次のどれか。ただし、原子量は H ＝1.0、C ＝12.0、N ＝14.0、O ＝16.0とする。

1 NH₃

2 O₂

3 CO₂

4 NO₂

5 CH₄

重要度	★★★	解答時間	4分	正解	3

 気体の分子量を求め、選択肢の気体から分子量が一致するものを選べばよい。

　0℃、1気圧（標準状態）の気体1 mol の体積が 22.4L ということを覚えておけば、この気体の分子量 M は、次のようにして簡単に求めることができる。

$$0.22 : M = 0.112 : 22.4 \qquad M = \frac{0.22 \times 22.4}{0.112} = 44.0$$

それぞれの分子量は、

1 $14.0 + 1.0 \times 3 = 17.0$　　　　**2** $16.0 \times 2 = 32.0$

3 $12.0 + 16.0 \times 2 = 44.0$　　　**4** $14.0 + 16.0 \times 2 = 46.0$

5 $12.0 + 1.0 \times 4 = 16.0$

別解　気体の状態方程式 $PV = nRT$ からも分子量を求められる。

この気体の分子量を M とすると、$1 \times 0.112 = \dfrac{0.22}{M} \times 0.082 \times 273$ より、

$$M = \frac{0.22 \times 0.082 \times 273}{1 \times 0.112} \fallingdotseq 43.97 \fallingdotseq 44.0$$

予想 2

次の化学反応式に関する説明として、妥当なものはどれか。ただし、N ＝ 14.0、O ＝16.0とする。

2NO ＋ O₂ ⟶ 2NO₂

1　二酸化窒素分子は窒素原子1個と酸素原子1個からできている。
2　標準状態で、一酸化窒素22.4L と酸素11.2L が化合すると二酸化窒素33.6L ができる。
3　一酸化窒素60.0g と酸素32.0g が化合すると二酸化炭素92.0g ができる。
4　一酸化窒素分子 2 mol と酸素分子 1 mol から二酸化窒素分子 2 mol ができる。
5　一酸化窒素分子1個と酸素分子1個が化合して二酸化窒素分子 2 個ができる。

| 重要度 | ★ ★ ★ | 解答時間 | 2 分 | 正解 | 4 |

解説

✕1 分子式で元素記号の右下の数字は原子の数を表す（1個の場合は省略）。よって、NO₂は窒素原子1個と酸素原子2個からできていることになる。

✕2 一酸化窒素22.4L と酸素11.2L が化合すると二酸化窒素22.4L ができる。

✕3 一酸化窒素と酸素が化合すると二酸化窒素ができる。

○4 分子式の左にある数字は分子の個数や物質量を表している。よって、この化学反応式から、一酸化窒素 2 mol と酸素 1 mol が化合して二酸化窒素 2 mol ができる。

✕5 一酸化窒素分子 2 個と酸素分子 1 個が化合して二酸化窒素分子 2 個ができる。

POINT 整理

物質量… 1 mol ＝6.0×10²³個の単位粒子（原子・分子・イオンなど）。気体 1 mol の占める体積は、標準状態（0 ℃、1 atm）では約22.4L。

次の熱化学方程式を用いて求められるプロパン C_3H_8 の燃焼熱として、最も妥当なのはどれか。

C（黒鉛）＋ O_2（気）＝ CO_2（気）＋394kJ

H_2（気）＋$\frac{1}{2}$ O_2（気）＝ H_2O（液）＋286kJ

3C（黒鉛）＋4H_2（気）＝ C_3H_8（気）＋105kJ

1 575kJ/mol

2 785kJ/mol

3 1754kJ/mol

4 2221kJ/mol

5 2326kJ/mol

重要度	★★	解答時間	3分	正解	4

解説 あたえられた熱化学方程式を組み合わせて、プロパンの燃焼の熱化学方程式をつくる。

C（黒鉛）＋ O_2（気）＝ CO_2（気）＋394kJ ……①

H_2（気）＋$\frac{1}{2}$ O_2（気）＝ H_2O（液）＋286kJ ……②

3C（黒鉛）＋4H_2（気）＝ C_3H_8（気）＋105kJ ……③

①×3＋②×4－③より、

$5O_2$（気）＝$3CO_2$（気）＋$4H_2O$（液）－ C_3H_8（気）＋2221kJ

C_3H_8（気）＋$5O_2$（気）＝$3CO_2$（気）＋$4H_2O$（液）＋2221kJ

 化学式を覚える

CO（一酸化炭素）、CO_2（二酸化炭素）、NH_3（アンモニア）、HCl（塩化水素）、HNO_3（硝酸）、H_2SO_4（硫酸）、NaOH（水酸化ナトリウム）、$Ca(OH)_2$（水酸化カルシウム）、NaCl（塩化ナトリウム）

身近に利用されている物質に関する記述として、最も妥当なのはどれか。

1　銅とスズの合金を黄銅（しんちゅう）といい、楽器や硬貨に利用される。
2　鉄は希塩酸にも濃硝酸にも水素を発生して溶ける。
3　セッケンは水に溶かすと酸性を示す。
4　ポリエチレンはエチレンの付加重合によってつくられる。
5　塩素は還元力があり、水道水の殺菌などに利用される。

| 重要度 | ★★ | 解答時間 | 2分 | 正解 | 4 |

解説

×1　銅とスズの合金は青銅と呼ばれ、十円玉、ブロンズ像などに利用されている。黄銅（しんちゅう）は銅と亜鉛の合金で、五円玉、金管楽器などに利用されている。

×2　鉄は希塩酸や希硫酸に溶けて水素が発生するが、濃硝酸や濃塩酸には不動態となって溶けない。不動態とは、金属の表面に腐食作用に抵抗する酸化被膜が生じ、化学的性質を失った状態のことである。

×3　セッケンを水に溶かすと、加水分解されて塩基性を示す。
$$RCOO^- + H_2O \longrightarrow RCOOH + OH^-$$

○4　多数の分子が次々と不飽和結合の部分で結合して、高分子化合物ができる反応を付加重合という。エチレンが付加重合してつくられるのがポリエチレン、プロピレンが付加重合してつくられるのがポリプロピレン、スチレンが付加重合してつくられるのがポリスチレンである。

×5　塩素は酸化力が強く、漂白作用をもつ。水道水に塩素を通すと、次亜塩素酸ができ、殺菌作用を示す。

 金属の合金

- 青銅…銅＋スズ　　・黄銅（しんちゅう）…銅＋亜鉛
- ステンレス…鉄＋クロム
- ジュラルミン…アルミニウム＋銅＋マグネシウム

次の酸・塩基に関する説明として、妥当なものはどれか。

1 水に溶かしたとき、電離してオキソニウムイオン H_3O^+ を生じるような化合物をアルカリという。

2 リン酸 H_3PO_4 のほうが硫酸 H_2SO_4 よりも強い酸である。

3 pH が 7 のときを中性、7 より小さいものを酸性、7 より大きいものをアルカリ性という。

4 塩酸と水酸化ナトリウムが反応して塩化ナトリウムが生じるように、酸の陰イオンと塩基の陽イオンが結合して塩が生じる反応を中和反応という。

5 中和反応により生成した塩の水溶液は中性を示す。

重要度	★★★	解答時間	2分	正解	3

解 説

✕**1** オキソニウムイオン H_3O^+ は水素イオン H^+ が水と結合して生じたものなので、この説明は、酸に関するものである。アルカリとは、水に溶かしたとき、電離して水酸化物イオン OH^- を生じるような化合物。

✕**2** 電離度が 1 に近い酸・塩基は強酸・強塩基、電離度が小さい酸・塩基は弱酸・弱塩基。リン酸のほうが硫酸よりも電離度が小さいので、弱い酸。

○**3** 酸性、アルカリ性の強さを表すのに pH（ピーエッチ／ペーハー）を使う。

✕**4** 酸の水素イオン（陽イオン）と塩基の水酸化物イオン（陰イオン）が結合して水を生じる反応を中和反応という。

✕**5** 弱酸と強塩基からできた塩の水溶液は塩基性、強酸と弱塩基からできた塩の水溶液は酸性を示す。

▶▶ 価数を覚える

1 価の酸（塩酸 HCl、硝酸 HNO_3、酢酸 CH_3COOH）
2 価の酸（硫酸 H_2SO_4、シュウ酸 $(COOH)_2$、硫化水素 H_2S）
1 価の塩基（水酸化ナトリウム NaOH、水酸化カリウム KOH、アンモニア NH_3）
2 価の塩基（水酸化カルシウム $Ca(OH)_2$、水酸化バリウム $Ba(OH)_2$）

過去 6

次の酸化物を酸性酸化物、塩基性酸化物、両性酸化物に分けた場合、酸性酸化物に該当するものの組み合わせとして、妥当なものはどれか。

Na₂O、CaO、ZnO、CO₂、CuO、SO₃

1　Na₂O と CuO

2　CaO と CO₂

3　Na₂O と ZnO

4　CO₂と SO₃

5　CaO と CuO

section 3 自然科学 13 化学

重要度	★★	解答時間	2分	正解	4

 酸性酸化物には非金属元素の酸化物が多く、**塩基性**酸化物には金属元素の酸化物が多い。亜鉛やアルミニウムの酸化物は、酸・塩基の両方と反応して塩をつくるので**両性**酸化物といわれる。

酸化ナトリウム Na₂O、酸化カルシウム CaO は水に溶けて塩基を生じる（塩基性酸化物）。

$$Na_2O + H_2O \longrightarrow 2NaOH （水酸化ナトリウム）$$

$$CaO + H_2O \longrightarrow Ca(OH)_2 （水酸化カルシウム）$$

酸化銅 CuO は酸と反応して塩と水を生じる（塩基性酸化物）。

$$CuO + H_2SO_4 \longrightarrow CuSO_4 + H_2O$$

酸化亜鉛 ZnO は酸・塩基と反応して塩をつくる（両性酸化物）。

$$ZnO + H_2SO_4 \longrightarrow ZnSO_4 + H_2O$$

$$ZnO + 2NaOH + H_2O \longrightarrow Na_2[Zn(OH)_4]$$

二酸化炭素 CO₂、三酸化硫黄 SO₃ は水に溶けて酸を生じる（酸性酸化物）。

$$CO_2 + H_2O \longrightarrow H_2CO_3 （炭酸）$$

$$SO_3 + H_2O \longrightarrow H_2SO_4 （硫酸）$$

<table>
<tr><td>過去
7</td><td colspan="2">非金属元素に関する記述として、最も妥当なのはどれか。</td></tr>
</table>

1 水素の単体は地球上で最も軽い気体であり、銅と熱濃硫酸の反応によって発生する。
2 塩素と水の反応によって生じる次亜塩素酸は強酸である。
3 酸素は無色無臭であるのに対し、その同素体であるオゾンは淡青色で特異臭を放ち、毒性をもつ。
4 硝酸は工業的には接触法によって生成される。
5 ケイ素は地殻中に最も多く含まれる元素である。

重要度	★★	解答時間	3分	正解	3

✕1 銅と熱濃硫酸の反応は、下のように表される。

$$Cu + 2H_2SO_4 \longrightarrow CuSO_4 + 2H_2O + SO_2\uparrow$$

よって、二酸化硫黄が発生する。

✕2 次のように、塩素を水に溶かすと、次亜塩素酸（HClO）ができる。次亜塩素酸は弱酸である。

$$H_2O + Cl_2 \longrightarrow HCl + HClO$$

◯3 化学式は、酸素は O_2、オゾンは O_3 である。同じ元素からなる単体で、性質が異なるものどうしを、互いに同素体であるという。

✕4 工業的には、硝酸は、次のようなオストワルト法によって生成される。
　①アンモニアと空気の混合気体を、加熱した白金触媒に触れさせ、一酸化窒素をつくる。$4NH_3 + 5O_2 \longrightarrow 4NO + 6H_2O$
　②一酸化窒素が空気中の酸素と反応して二酸化窒素になる。
　$$2NO + O_2 \longrightarrow 2NO_2$$
　③二酸化窒素を温水に吸収させると、硝酸が得られる。

✕5 地殻中に含まれる元素を多いものから順に並べると、酸素、ケイ素、アルミニウム、鉄、…となる。

　金属のイオン化傾向に関する記述として、最も妥当なのはどれか。

1　一般に、金属の単体が水溶液中で陰イオンになろうとする性質を、金属のイオン化傾向という。

2　イオン化傾向が極めて大きい白金、金は空気中で酸化されず、金属光沢を保ち続ける。

3　ブリキ（スズめっき鋼板）に傷が付いた場合、鉄よりもスズの方がイオン化傾向が大きいため、鉄がイオンとなって溶け出し、鋼板は腐食されやすくなる。

4　水素よりイオン化傾向の小さい金属の銅や水銀は、硝酸と反応し、水素以外の気体を発生する。

5　水素よりイオン化傾向の大きい金属の銀は、塩酸や希硫酸と反応し、水素を発生する。

section **3** 自然科学 **13** 化学

| 重要度 | ★★ | 解答時間 | 2分 | 正解 | 4 |

解説　**イオン化傾向が大きい金属ほど陽イオンになりやすい。**

✕**1** 金属の単体は電子を失って陽イオンになる。金属の単体が水溶液中で陽イオンになろうとする性質をイオン化傾向という。

✕**2** 白金や金はイオン化傾向が極めて小さいため、酸化されにくい。

✕**3** 鉄はスズよりもイオン化傾向が大きいため、傷がつくと内部の鉄が酸化され、腐食されやすくなる。

○**4** 銅や水銀は希硝酸と反応して一酸化窒素を生じ、濃硝酸と反応して二酸化窒素を生じる。

✕**5** 銀は水素よりもイオン化傾向が小さいので、塩酸や希硫酸に溶けない。

▶ **金属のイオン化列**

イオン化列…金属をイオン化傾向が大きいほうから順に並べたもの。

大 ◀───────────── イオン化傾向 ─────────────▶ 小

貸 そう	か	な	ま	あ	あ	て	に	すん	な	ひ	ど	す	ぎる	借	金
K	Ca	Na	Mg	Al	Zn	Fe	Ni	Sn	Pb	(H)	Cu	Hg	Ag	Pt	Au

Xg のアルカンを完全燃焼させたところ、6.6g の二酸化炭素と3.6g の水が発生したとき、アルカンの名称と質量について、最も妥当なのはどれか。ただし、原子量は C ＝12、O ＝16、H ＝ 1 とする。

	アルカン	質量
1	メタン	2.2g
2	エタン	2.8g
3	エタン	3.0g
4	プロパン	2.2g
5	プロパン	3.0g

重要度	★ ★	解答時間	4 分	正解	4

解説 **アルカンの質量＝含まれていた炭素の質量と水素の質量の和**

炭素の質量：二酸化炭素（CO_2）の分子量は、$12 + 16 \times 2 = 44$より、二酸化炭素6.6g の物質量は、$\dfrac{6.6[g]}{44[g/mol]} = 0.15[mol]$

よって、含まれていた炭素の質量は、$12 \times 0.15 = 1.8[g]$

水素の質量：水（H_2O）の分子量は、$1 \times 2 + 16 = 18$より、水3.6g の物質量は、

$\dfrac{3.6[g]}{18[g/mol]} = 0.2[mol]$

よって、含まれていた水素の質量は、$1 \times 2 \times 0.2 = 0.4[g]$

したがって、$X = 1.8 + 0.4 = 2.2[g]$

アルカンの一般式はC_nH_{2n+2}である。アルカンに含まれる炭素原子と水素原子の物質量の割合は、$0.15 : 0.2 \times 2 = 3 : 8$より、$n = 3$で、アルカンの化学式は$C_3H_8$になるので、このアルカンはプロパンである。

過去 10

ウラン235やプルトニウムなどの質量数が大きく不安定な原子核に、ある素粒子をあて核分裂が起こると、1回の核分裂で２、３個の同素粒子が放出され、この素粒子が連鎖反応を引き起こす原因となる。この素粒子とはどれか。

1   α 線
2   中性子
3   陽子
4   中間子
5   ニュートリノ

重要度	★★	解答時間	2分	正解	2

解 説　**ウランやプルトニウムの核分裂反応で放出されるエネルギーは、原子力発電に利用されている。**

✕1　α 線は He（ヘリウム）の原子核の流れで、原子核が α 線を放出してほかの原子核になることを、α 崩壊という。

◯2　中性子は、原子核を構成する粒子のうち、電荷をもたないもの。

✕3　陽子は原子核を構成する粒子のうち、正の電荷をもつもの。

✕4　中間子は、中性子と陽子を結びつけるはたらきをもつ素粒子で、湯川秀樹によってその存在が予言された。

✕5　ニュートリノは電気的に中性で、質量が非常に小さい素粒子の一種で、小柴昌俊はこの研究によってノーベル物理学賞を受賞した。

▶ **核分裂反応**

ウランやプルトニウムなどの核分裂性物質の原子核が中性子を吸収すると、軽い原子核に分かれ、中性子を放出する。この中性子がほかの原子核に吸収され、連鎖反応が起こる。

$$^{235}U + n \longrightarrow {}^{95}Y + {}^{139}I + 2n \quad (n：中性子)$$

原子力発電では、この連鎖反応を制御しながらゆっくり進めている。

section 3 自然科学 13 化学

14 物理

過去
1

なめらかな一直線上を正の向きに進む小球 A（質量0.30kg、速度4.0m/s）と、負の向きに進む小球 B（質量0.20kg、速度4.0m/s）が正面衝突した。衝突後の小球 A、B の速度 v_A'、v_B' として、最も妥当なのはどれか。ただし、小球 A と小球 B との間の反発係数を0.75とする。

	v_A'	v_B'
1	-1.6	4.4
2	-2.6	3.8
3	-3.8	2.6
4	-4.0	2.4
5	-4.4	1.6

重要度	★★★	解答時間	4分	正解	1

 解　説 運動量保存の法則…$m_A v_A + m_B v_B = m_A v_A' + m_B v_B'$

反発係数…$e = -\dfrac{v_A' - v_B'}{v_A - v_B}$

運動量保存の法則より、

$$0.30 \times 4.0 + 0.20 \times (-4.0) = 0.30 v_A' + 0.20 v_B'$$

$$0.30 v_A' + 0.20 v_B' = 0.4 \quad \cdots\cdots ①$$

反発係数は0.75より、

$$0.75 = -\frac{v_A' - v_B'}{4.0 - (-4.0)} \qquad v_A' - v_B' = -6 \qquad v_A' = v_B' - 6 \quad \cdots\cdots ②$$

②式を①式に代入して、

$$0.30(v_B' - 6) + 0.20 v_B' = 0.4 \qquad 0.50 v_B' = 2.2 \qquad v_B' = 4.4 [\text{m/s}]$$

$v_B' = 4.4 [\text{m/s}]$ を②式に代入して、

$v_A' = 4.4 - 6 = -1.6 [\text{m/s}]$

図1のような電圧－電流特性をもつ電球 L、10Ωの抵抗 R、内部抵抗が無視できき起電力12V の電池 E を、図2のように接続したとき、電球 L を流れる電流は何 A か。

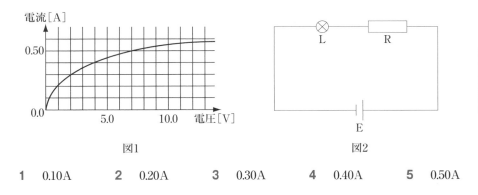

図1   図2

| **1** | 0.10A | **2** | 0.20A | **3** | 0.30A | **4** | 0.40A | **5** | 0.50A |

section 3 自然科学 14 物理

| 重要度 | ★★ | 解答時間 | 3分 | 正解 | 5 |

 電圧－電流特性のグラフから読みとった値が選択肢と一致するかどうか考える。

10Ωの抵抗 R の両端にかかる電圧と電球 L に加わる電圧は次のようになる。

選択肢	抵抗 R にかかる電圧 [V]	電球 L に加わる電圧 [V]	図1から読みとった 電流 [A]
1(0.10A)	10 × 0.10 = 1	12 － 1 = 11	約 0.56
2(0.20A)	10 × 0.20 = 2	12 － 2 = 10	約 0.55
3(0.30A)	10 × 0.30 = 3	12 － 3 = 9	約 0.54
4(0.40A)	10 × 0.40 = 4	12 － 4 = 8	約 0.52
5(0.50A)	10 × 0.50 = 5	12 － 5 = 7	約 0.50

選択肢の電流と図1から読みとった電流が一致するのは5だけである。

2種類の異なった材質でできた弦 S_1、S_2 を1本につなぎ、一定の張力で両端を張る。S_1 と S_2 を伝わる横波の速さはそれぞれ1.6×10^3 [m/s]、1.12×10^3 [m/s] であり、長さはそれぞれ0.4[m] と0.7[m] である。いま、外部からこの弦に振動を加える。S_1 と S_2 のつなぎ目を節とする共振を起こす振動数の中で、最小の振動数として、妥当なものはどれか。

1　800[Hz]
2　1600[Hz]
3　2000[Hz]
4　3200[Hz]
5　4000[Hz]

重要度	★★	解答時間	4分	正解	5

解説 $f = \dfrac{v}{\lambda} = \dfrac{v}{2s}$ （f：振動数、v：波の速さ、λ：波長、s：弦の長さ）より、弦 S_1 と S_2 の振動数を求め、その最小公倍数が答えとなる。

弦 S_1の振動数は、$\dfrac{1.6 \times 10^3}{2 \times 0.4} = 2000$[Hz]

弦 S_2の振動数は、$\dfrac{1.12 \times 10^3}{2 \times 0.7} = 800$[Hz]

よって、共振を起こす最小の振動数は4000[Hz]

▶ **公式を覚える**

波の基本式：$f = vT$、$v = f\lambda$、$f = \dfrac{1}{T}$

（f：振動数、v：波の速さ、T：周期、λ：波長）

過去
4

音の性質についての説明として、妥当なものはどれか。

1 空気中を伝わる音の速さは、温度が低いほど大きい。
2 一般に音速の大きさは、液体中、固体中、気体中の順に大きい。
3 音波は気温の高い方へ曲がって進む。
4 1オクターブ高い音は、振動数が8倍の音である。
5 音源が移動すると、音源の前方では音が高くなり、後方では音が低くなる。

| 重要度 | ★★ | 解答時間 | 2分 | 正解 | 5 |

 解 説

✕1 乾燥している空気中では、温度が1℃高くなると、音の伝わる速さは約
0.6m/秒ずつ大きくなる。
✕2 音速は、気体中より液体中、液体中より固体中の方が大きくなる。
✕3 晴れた夜など、上空よりも地上に近いところの方が気温が低くなると、音
は一度上方に上がり、次第に地上の方へ曲がる。
✕4 1オクターブ高い音は、振動数が2倍の音である。
◯5 ドップラー効果という。

▶ POINT 整理

波の回折…進行する波が障害物の裏側にもまわりこんで伝わる現象。
波の干渉…波長が等しい複数の波が重なり合って、振動を強め合ったり弱め
合ったりする現象。
うなり……振動数（f_1、f_2）がわずかに異なる2つの音さを同時に鳴らすと、
音の大小が周期的にくり返される現象。1秒間に生じるうなりの
回数は、$f = | f_1 - f_2 |$
ドップラー効果…音源が近づくとき、音は高く聞こえ、遠ざかるときは低く
聞こえる。

次の文章は光の性質と波長との関係について述べたものである。空所 a ～ c に該当する語句の組み合わせとして妥当なものはどれか。

光がプリズムに入射したときの屈折率は波長が（　a　）ほど大きい。また、回折格子による方向変化は波長が（　b　）ほど大きい。光子のエネルギーの大きさは波長に（　c　）する。

	a	b	c
1	長い	短い	比例
2	長い	長い	比例
3	長い	長い	反比例
4	短い	長い	反比例
5	短い	短い	比例

重要度	★ ★	解答時間	2 分 30 秒	正解	4

a 光が媒質 1 から媒質 2 に進むときの屈折率は、

$$n_{12} = \frac{v_1}{v_2} = \frac{\lambda_1}{\lambda_2}$$ （n：屈折率、v：光の速さ、λ：波長）

この問題での「波長」はプリズム内での波長を指すものと考えられるので、波長が短いほど大きくなる。

b 回折格子における干渉の条件式は、

明線…$d\sin\theta = m\lambda$

暗線…$d\sin\theta = \left(m+\frac{1}{2}\right)\lambda$

（d：格子定数、θ：回折角、λ：波長、m：0、1、2、…）

d は定数のため、波長が長いほど θ が大きくなることがわかる。

c 光子のエネルギー $h\nu = \dfrac{hc}{\lambda}$（$h$：プランク定数、$\nu$：振動数、$c$：光の速さ、$\lambda$：波長）より、光子がもつエネルギーは波長が短いほど大きく、反比例する。

過去
6　レンズに関する記述として、妥当なものはどれか。

1　水中でレンズの焦点距離を測ると、空気中で測ったときに比べて短くなる。

2　凸レンズのふくらみを小さくしたとき、焦点距離は短くなる。

3　凸レンズの焦点より内側に物体をおくと、実像はできない。

4　赤い光の方が紫の光より焦点距離が短い。

5　屈折率の大きい物質でレンズをつくったとき、焦点距離は長くなる。

重要度	★ ★ ★	解答時間	2分	正解	3

解 説

✕**1** 屈折率は空気中よりも水中の方が大きいので、光が空気中からレンズ中に進むときの屈折率より、水中からレンズ中に進むときの屈折率の方が小さい。よって、水中での焦点距離の方が空気中での焦点距離よりも長くなる。

✕**2** 凸レンズのふくらみを小さくすると、焦点距離は長くなる。

○**3** 凸レンズの焦点より内側に物体をおくと、正立の虚像ができる。

✕**4** 赤い方が紫よりも波長が長く、屈折率が小さいので、焦点距離は長くなる。

✕**5** 屈折率の大きい物質でレンズをつくると、焦点距離は短くなる。

POINT 整理

反射の法則…入射角と反射角は等しい。

全反射………入射角が臨界角よりも大きいときは、光はすべて反射する。

光の分散……自然光をスリットを通してプリズムに当てると、屈折率のちがいによって、それぞれの色の光に分散する。

波長が長い←赤－橙－黄－緑－青－藍－紫→波長が短い

（凸レンズ）

物体の位置	焦点より外側	焦点上	焦点より内側
できる像	倒立の実像	像はできない	正立の虚像

次の機器のうち、パスカルの原理を応用しているものはどれか。

1　油圧ジャッキ
2　動滑車
3　ジャイロスコープ
4　アネロイド気圧計
5　最高最低温度計

重要度	★	解答時間	1分30秒	正解	1

解 説

○1　パスカルの原理とは、「閉じこめられた液体の一部に圧力を加えた場合、圧力は加えた向きだけでなく同じ強さですべての方向に伝わる」というものである。

×2　動滑車は、2本のひもで物体の重さを支えるため、物体の重さの半分の力で物体を持ち上げることができるが、ひもを引く長さは物体を持ち上げる距離の2倍になる（仕事の原理）。

×3　ジャイロスコープは、コマの原理を利用して物体に働く角速度を測定する機器で、航空機の姿勢保持などに用いられる。

×4　アネロイド気圧計は、内部が真空である金属製の容器が気圧によって膨張したり収縮したりする動きを、てこの原理を利用して拡大し、針の動きに変えたものである。

×5　最高最低温度計は、水銀などの液体が膨張したり収縮したりすることによって温度を測定する。

覚 え て お こ う

パスカルの原理が液体の圧力に関するものであることが理解できていれば、それぞれの機器を十分に理解できていなくとも、「油圧」という部分から油圧ジャッキが妥当であると考えられる。

Aから初速0で出発して図のような滑らかな軌道を描くジェットコースターがあり、点Aの高さは点Cの高さの2倍である。このとき、点Bにおける速度と点Cにおける速度とのおおよその比は、次のどれか。ただし、この間の摩擦は無視し、力学的エネルギー保存の法則が成り立つものとする。

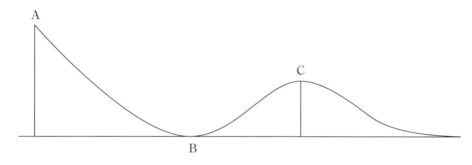

Bにおける速度 ： Cにおける速度

	Bにおける速度		Cにおける速度
1	1.2	：	1
2	1.4	：	1
3	1.5	：	1
4	2.0	：	1
5	2.2	：	1

重要度	★★★	解答時間	3分	正解	2

 力学的エネルギー保存の法則では、運動エネルギー＋位置エネルギーは一定になる。

点Aでジェットコースターがもっていた位置エネルギーを4とすると、点Bでは位置エネルギーは0、運動エネルギーは4、点Cでは位置エネルギーは2、運動エネルギーは2である。よって、点Bでもっている運動エネルギーは点Cでもっている運動エネルギーの2倍となる。
運動エネルギーは、速度の2乗に比例するので、点Bにおける速度は、点Cにおける速度の$\sqrt{2}$倍、およそ1.4倍となる。

SECTION 3 自然科学

15 地学

過去1 日本周辺のプレートに関する記述中の空所 A 〜 D に当てはまる語句の組合せとして、最も妥当なのはどれか。

　日本の周辺では、（　A　）プレートが日本海溝から、（　B　）プレートが南海トラフから日本の下に沈み込んでいる。また（　C　）プレートと（　D　）プレートの境界は日本を通っていると考えられる。

	A	B	C	D
1	太平洋	フィリピン海	北米	ユーラシア
2	太平洋	フィリピン海	北米	インド・オーストラリア
3	フィリピン海	太平洋	北米	ユーラシア
4	フィリピン海	太平洋	北米	インド・オーストラリア
5	フィリピン海	太平洋	ユーラシア	インド・オーストラリア

重要度	★★	解答時間	2分	正解	1

 解説 日本列島付近には、**大陸**プレート（**北アメリカプレート、ユーラシアプレート**）、**海洋**プレート（**フィリピン海プレート、太平洋プレート**）がある。

　海溝やトラフは、海洋プレートの沈み込み口になっている。

A 日本海溝では、太平洋プレートが北アメリカプレートの下に沈み込んでいる。

B トラフとは、海底の細長い溝で、やや幅が広く、船底状のもの。海溝よりも浅く、幅が広い。南海トラフでは、フィリピン海プレートがユーラシアプレートの下に沈み込んでいる。

C・D 東日本は北米（北アメリカ）プレート、西日本はユーラシアプレートにのっている。

過去 2

10℃及び30℃における飽和水蒸気量はそれぞれ9.4g/m³、30.4g/m³である。30℃で相対湿度80%の大気1m³中の水蒸気量は、10℃で相対湿度40%の大気1m³中の水蒸気量のおよそ何倍であるか。

1 3.5倍
2 5.0倍
3 6.5倍
4 8.0倍
5 9.5倍

重要度	★ ★ ★	解答時間	3分	正解	3

解説 $1 m^3$中の水蒸気量 $[g/m^3]$ ＝ 飽和水蒸気量 $[g/m^3]$ × $\dfrac{湿度\ [\%]}{100}$

相対湿度とは、中学校で習う湿度のことである。

30℃で相対湿度80%の大気1m³中の水蒸気量は、$30.4 \times \dfrac{80}{100} = 24.32\ [g/m^3]$

10℃で相対湿度40%の大気1m³中の水蒸気量は、$9.4 \times \dfrac{40}{100} = 3.76\ [g/m^3]$

よって、$\dfrac{24.32}{3.76} \fallingdotseq 6.5\ [倍]$

 POINT 整理

湿度[%] ＝ $\dfrac{空気\ 1\ m^3\ 中に含まれる水蒸気量[g/m^3]}{その温度での飽和水蒸気量[g/m^3]} \times 100$

過去
3
太陽系の地球型惑星と木星型惑星に関する記述として、最も妥当なのはどれか。

1 地球型惑星は、木星型惑星に比べて半径が小さく、自転周期が短い。

2 地球型惑星のうち、表面温度が一番高くなるのは水星である。

3 地球型惑星のおもな大気組成は、二酸化炭素やヘリウムなどである。

4 木星型惑星のうち、リング（環）がないのは海王星だけである。

5 天王星や海王星が青く見えるのは、大気に含まれるメタンのためである。

重要度	★★★	解答時間	2分	正解	5

 水星・金星・地球・火星が地球型惑星、木星・土星・天王星・海王星が木星型惑星である。

✕1 地球型惑星は木星型惑星に比べて半径は小さく、自転周期は長い。

✕2 金星は二酸化炭素の厚い大気で覆われているために温室効果がはたらき、一番太陽に近いところを公転している水星よりも平均の表面の温度が高い（金星は約460℃、水星は約260℃）。

✕3 地球型惑星のおもな大気組成は二酸化炭素など（地球は窒素や酸素）で、木星型惑星のおもな大気組成は水素やヘリウムなどである。

✕4 木星型惑星にはすべてリング（環）がある。

◯5 天王星の大気の主成分は水素で、ヘリウムや少量のメタンもふくまれる。海王星の大気の主成分は水素とヘリウムで、メタンも少量ふくまれる。太陽光のうち、赤色光がメタンに吸収されるため、天王星や海王星は青く見える。

過去 4	太陽に関する記述として、最も妥当なのはどれか。

1　太陽の表面に現れる黒点は、周囲よりも温度が1000〜1500Kほど高い部分である。

2　太陽の光球外側で見られる巨大な炎のような気体をフレアという。

3　太陽表面から放出される電気を帯びた高速の粒子の流れを太陽風という。

4　太陽表面から放出される莫大なエネルギーの源は、ウランの核分裂反応である。

5　黒点付近の彩層とコロナの一部が突然明るくなる現象をプロミネンスという。

重要度	★★	解答時間	2分	正解	3

解説　**太陽の中心の温度は約1600万℃、表面温度は約6000℃、黒点の温度は約4000℃である。**

✗1　太陽の表面温度はおよそ6000℃であるが、黒点の温度はおよそ4000℃と周囲よりも温度が低いため、黒く見える。黒点は周囲よりも磁力が強い。

✗2　光球の外側の彩層からふき出した巨大な炎のような気体の動きをプロミネンスという。

○3　非常に高温の状態では、水素原子やヘリウム原子がイオンと電子に電離し、電気を帯びたプラズマと呼ばれる粒子になる。

✗4　太陽は、4つの水素の原子核が衝突・合体して1個のヘリウムの原子核をつくる核融合反応によって、莫大なエネルギーをつくり出している。

✗5　黒点に近い彩層やコロナの一部が突然明るく輝く現象をフレアといい、大量のX線やガンマ線が放出される。

POINT 整理

光球……………光を出している厚さ約500kmの大気の層。
彩層……………光球の外側にある大気の層。
プロミネンス…彩層からふき上げられる赤い炎。
コロナ…………彩層の外側にある希薄な大気の層。温度は100万℃以上。

地震に関する記述として、最も妥当なのはどれか。

1 　震度とは、地震の規模そのものの大きさである。
2 　震度の大きさは、日本では一般に気象庁が定めた1から7の7段階の震度階級で示す。
3 　地震が発生した場所を震央といい、震央から観測地点までの距離を震央距離という。
4 　2ヶ所の観測地点の初期微動継続時間から震央を特定することができる。
5 　マグニチュードは地震のエネルギーと関係し、1増えるとエネルギーは約32倍となる。

重要度	★★	解答時間	2分	正解	5

解説　震度はゆれの大きさ、マグニチュードは地震の規模。

×1 震度は観測地点の地震のゆれの大きさを表すもので、地震の規模はマグニチュードで表される。

×2 震度階級には0～7があるが、震度5、6は強と弱に分けられるので、全部で10段階になる。

×3 地震が発生した場所は震源と呼ばれる。震央とは震源の真上の地表の地点である。

×4 一般に初期微動継続時間は震源からの距離に比例して長くなる。よって、2ヶ所の観測地点の初期微動継続時間からわかるのは、震源である。

○5 マグニチュードが1増えると地震のエネルギーは約32倍になり、2増えると約1000倍になる。

▶ **POINT 整理**

震度…観測地点の地震のゆれの大きさ。0～7で、震度5、6は強・弱がある。
マグニチュード…地震の規模。1増えると約32倍になる。
震源…地震が発生した場所。
震央…震源の真上の地表の地点。

過去 6 カンブリア紀の状況に関する記述として、最も妥当なのはどれか。

1 節足動物に属する三葉虫のほか多様な動物が爆発的に出現した。
2 大気中の酸素濃度が高まり、核膜をもった真核生物のグリパニアが出現した。
3 原核生物のシアノバクテリアが出現し、浅い海でストロマトライトをつくった。
4 地球が温暖化し、エディアカラ生物群と呼ばれる動物群が出現した。
5 クックソニアやリニアなどの植物が陸上に出現した。

| 重要度 | ★★★ | 解答時間 | 2分 | 正解 | 1 |

 解 説 **カンブリア紀は、古生代のはじめ（約5億4200万年前～約4億8800万年前）である。**

○1 カンブリア紀には、さまざまな無脊椎動物が爆発的に出現し、この現象はカンブリア大爆発と呼ばれる。この時期には、バージェス動物群と呼ばれる、奇妙な形をした水生生物が見られた。

×2 グリパニアは大形の藻類で、その化石は大気中の酸素濃度が高まった21億年前（先カンブリア時代）の地層から見つかった。グリパニアは、最古の真核生物のひとつとされている。

×3 シアノバクテリアが繁栄したのは約27億年前（先カンブリア時代）で、ストロマトライトはシアノバクテリアのはたらきで形成されたものである。

×4 先カンブリア時代の末期（約6億年前）には地球が温暖化し、全球凍結を生き残った生物の一部は大形の多細胞生物へ進化した。この時期には、エディアカラ生物群と呼ばれる、からだが柔らかく、扁平な形をした多細胞生物が見られた。

×5 オルドビス紀（4億8800万年前～4億4400万年前）の末期に、植物が陸上へ進出したと考えられている。最古の陸上植物の化石はクックソニアで、シルル紀末の地層から発見された。シルル紀に続くデボン紀になると、リニアが出現する。

| 過去7 | 地球に関する以下の記述のうち、最も妥当なのはどれか。 |

1　約46億年前に微惑星が衝突を繰り返して地球が形成された際、地球の材料となった微惑星に含まれていた酸素や窒素が気体として放出され、現在のような酸素の豊富な大気が作られた。

2　約46億年前に誕生した地球は、微惑星の衝突による多量の熱でマグマオーシャンの状態であったが、微惑星の減少とともに地球は冷え始め、約40億年前までに金属鉄に富む縞状鉄鉱層が大規模に形成された。

3　約46億年前から5億4,200万年前までの時代をカンブリア時代といい、この時代の化石は多く産出され、地球や生命の進化を明らかにしている。

4　約25億年前までにはシアノバクテリアと呼ばれる原核生物が出現しており、シアノバクテリアの活動によって固まってできた構造をストロマトライトという。

5　約7億年前には地球の平均気温が約 $-40 \sim -50℃$ まで低下して地球全体が厚い氷に覆われていたが、この時代に恐竜などの脊椎動物は絶滅した。

| 重要度 | ★★ | 解答時間 | 2分 | 正解 | 4 |

解説

✕1　25億年前以前の原始大気には、ほとんど酸素が含まれていなかったと考えられている。

✕2　シアノバクテリアの光合成に伴って放出された酸素の一部は海水中にとけこんだため、海水中の鉄イオンが酸化され、海底に沈殿した酸化鉄が縞状鉄鉱層を形成した。

✕3　約46億年前から5億4,200万年前までの時代を先カンブリア時代という。先カンブリア時代末には、エディアカラ生物群というさまざまな形態をした生物群が出現したが、古生代のカンブリア紀に入る前にほぼ絶滅した。

◯4　浅い海の中で、シアノバクテリアと細かい堆積物が何層にも積み重なって、ストロマトライトという構造体が形成される。

✕5　最後に地球表面のほとんどが厚い氷に覆われた（全球凍結）のは、約6億年前と推定されている。恐竜などが絶滅（一部は鳥類に進化）したのは、約6600万年前（白亜紀末）に隕石が地球に衝突し、発生した塵が地球を覆い、長期間にわたって太陽光をさえぎったためと考えられている。

予想8

> 海に関する次の記述について、妥当なものはどれか。

1 海上を吹く風が原因で起こる波をうねりといい、表面波の一種である。

2 地震などで大規模な大地の変動が海底に起こると、津波を生じることがある。津波の波の速さは海の深さが浅いほど大きくなる。

3 海面は1日に2回ずつ昇降をくり返す。これは、おもに太陽の引力によって海水が動くために起こる。

4 台風が通過するとき、気圧低下による海面の吸い上げや強風による海岸への海水の吹き寄せにより、海面が異常に上昇することがある。これを高潮という。

5 太平洋赤道域の中央部から南米のペルー沿岸にかけての広い海域において海面の水温が平年に比べて高くなり、その状態が1年程度続く現象をラニーニャ現象といい、世界各地に異常気象をもたらす。

重要度	★ ★ ★	解答時間	2分	正解	4

解説

✕**1** 海上を吹く風が原因で起こる波は波浪と呼ばれる。うねりは波浪が発生したところから遠くまで伝わっていったものである。

✕**2** 津波の波の速さは、$V = \sqrt{gh}$（V：波の速さ、g：重力加速度、h：海の深さ）で表されるので、海が深いほど速くなる。

✕**3** 海面が1日に2回ずつ昇降をくり返すことを潮汐という。潮汐は月や太陽の引力によるもので、潮汐を起こす力を起潮力という。月による起潮力は太陽による起潮力の約2倍である。

◯**4** 吹き寄せによる海面上昇は、風速の2乗に比例する。

✕**5** このような現象はエルニーニョ現象と呼ばれる。ラニーニャ現象とは、選択肢と同じ海域で海面水温が平年より低い状態が続く現象をさす。

▶▶ 潮の性質

大潮…太陽—地球—月が一直線上に並び、月と太陽の起潮力が強めあう。
小潮…月—地球、太陽—地球が直角になると月と太陽の起潮力が打ち消しあう。

section 3 自然科学 15 地学

167

SECTION 3 自然科学 攻略法

数学
- 2次関数、3次関数も出題されます。
- 2次方程式や不等式、関数のグラフなども復習しておきましょう。

生物
- 遺伝や光合成はどのような試験にもよく出題されます。
- 人の身体、器官にかかわる事項もチェックしておいてください。

化学
- 化学反応式、酸と塩基、酸化と還元など高校生レベルの復習が大切です。

物理
- 振動、音の性質や光の性質は基本事項です。
- 力学での等加速度運動や運動方程式は覚えておいてください。

地学
- 地球、太陽、海に関する基本的なことはしっかりと理解しておきましょう。
- 地震や惑星の問題もチェックしておいてください。

自然科学分野の出題数は全体からみれば多くありませんが、しっかり点数を取れるようにしておきましょう。

SECTION ④

一般知能

一般知識と共に一般知能の能力も試されます。柔軟性や判断力、内容把握などの潜在的な力が求められます。なによりも解き方のテクニックを習得することが一番です。

※本書では、従来「数的推理」としていたものを「数的処理」と名称を変更しました。

16 文章理解

過去 1 次の短文Ａ〜Ｇを並べかえて一つのまとまった文章にしたい。最も妥当な組み合わせはどれか。

Ａ　しかし、雨は収穫物をだいなしにする、と或る人は言う。なにもかも泥でよごれる、と別な人が言う。そして第三の人は言う、草の上に坐るのは、たいへん、気持ちがいいのに、と。

Ｂ　ところが、雨降りのときこそ、晴れ晴れとした顔が見たいものだ。それゆえ、悪い天気のときには、いい顔をするものだ。

Ｃ　言うまでもないことだ。だれでもそれは知っている。

Ｄ　わたしがこれを書いているいま、雨が降っている。

Ｅ　わたしが考えているこの幸福となる方法のうちに、悪い天気をうまく使う方法についての有益な忠告を加えてもおこう。

Ｆ　屋根瓦が音を立てている。無数の小さな溝がざわめいている。空気は洗われて、濾過されたみたいだ。雲はすばらしいちぎれ綿に似ている。こういう美しさをとらえることを学ばなければいけない。

Ｇ　あなたが不平を言ったからといって、どうともなるものではない。そして、わたしは不平の雨にびしょぬれになり、この雨は家のなかまでわたしを追いかけてくる。

1　Ｅ−Ｄ−Ａ−Ｇ−Ｂ−Ｆ−Ｃ　　2　Ｄ−Ａ−Ｅ−Ｇ−Ｃ−Ｂ−Ｆ
3　Ｅ−Ｆ−Ｄ−Ａ−Ｂ−Ｃ−Ｇ　　4　Ｅ−Ｄ−Ｆ−Ａ−Ｃ−Ｇ−Ｂ
5　Ｄ−Ｇ−Ｅ−Ｆ−Ｂ−Ａ−Ｃ

重要度	★★	解答時間	4分	正解	4

解説　文頭に接続詞があるものや、前の文を受けた内容のものをはずすと、選択肢からＤかＥが最初とわかる。Ｄは雨に関わる内容なので、まずＥを前置きという位置づけにしてみる。

（『幸福論』アラン　白井健三郎訳　集英社文庫）

文章中の空所にあてはまる語句として、最も妥当なものはどれか。

　たとえば蓮實重彦は、「あけてぞ、けさは、わかれゆく」という一行に、「ゾケサ」なる奇怪な動物の行進してゆくさまを思い浮かべていたのだという。

　『蛍の光』の最後の一行に含まれる強意の助詞「ぞ」の用法を理解しえなかった少年は、なぜか佐渡のような島の顔をした「ゾケサ」という植物めいた動物が、何頭も何頭も、朝日に向ってぞろぞろと二手に別れて遠ざかってゆく光景を、卒業式の妙に湿った雰囲気の中で想像せずにはいられないのだ。ゾケサたちは、たぶん彼ら自身も知らない深い理由に衝き動かされて、黙々と親しい仲間を捨てて別の世界へと旅立ってゆくのだろう。生きてゆくということは、ことによると、こうした理不尽な別れを寡黙に耐えることなのだろうか、可哀そうなゾケサたちよ。「佐渡のような島の顔」をしているというのがとりわけ傑作である。声をあげて笑ってしまうのは、自分も似たような体験をしているからだ。おそらく誰もが同じ体験をしているのである。

　たかが歌の歌詞にすぎないなどといってはならない。他のさまざまなことにしても、世界は同じようなかたちで理解されてゆくのである。親族についても、学校についても、町についても、そして自分自身の身体についてさえも、まず（　　　）こそが子どもの頭脳を占拠するといっていい。そしてその世界像は子どもの秘かな欲望と深く関係しているのである。

　子どもが世界を理解してゆくその仕方は多様で、ときには思いもよらないかたちで展開する。ほとんど子どもの数だけ世界があるといっていいわけだが、そのひとつひとつが独特なかたちに歪んでいるのである。不気味というほかない。

　あるときは暗いジグソー・パズルのように、またあるときは一挙に展望が開けるように、子どもは思い思いに世界を理解してゆく。大人の世界へと接近してゆく。そのひとこまひとこまを眺めるならば、ときにはおぞましいほどの世界像が浮かんでくる。

1	幼稚な思いつき	2	奇怪な思い違い	3	ひそかな思い
4	豊かな発想	5	おろかな思い過ごし		

重要度	★★	解答時間	3分	正解	2

蓮實重彦の空想したゾケサの姿、文中で使われている「不気味」「おぞましい」などの言葉から導き出されるものを選べばよい。

（『身体の零度』三浦雅士　講談社選書メチエ）

次の文の要旨として、最も妥当なのはどれか。

　１日に１ドル以下しか所得のない人が世界中に12億人もいて、75セント以下の「極貧層」さえ６億3000万人もいるというような言説は、善い意図からされることが多いし、当面はよりよい政策の方に力を与えることもできるが、原理的には誤っているし、長期的には不幸を増大するような、開発主義的な政策を基礎づけてしまうことになるだろう。巴馬瑶族の人たちもアマゾンの多くの原住民も、今日この「１日１ドル以下」の所得しかない12億人に入っているが、彼らの「所得」を「１ドル以上」とするにちがいない政策によって、幸福のいくつもの次元を失い、不幸を増大する可能性の方が、現実にははるかに大きい。(視える幸福とひきかえに視えない幸福の次元を失い、測定のできる幸福とひきかえに測定のできない幸福の諸次元を失う可能性の方が大きい。)「自分たちの食べるもの」を作ることを禁止されたあのドミニカの農民たちは、食べるものを市場で買うほかに生きられないから、どこかの大量消費市場のための商品作物を作って金銭を得るほかはなく、「所得」は増大せざるをえない。この市場から、以前よりも貧しい食物しか手に入れることができなくなっても、彼らは統計上、所得を向上したことになる。１日１ドルという「貧困」のラインから「救い上げられた」人口の統計のうちに入るかもしれないのである。このような「貧困」の定義は、まちがっているはずである。

　人はこのようにいうかもしれない。定義の問題なら言葉使いの選び方の問題にすぎない。貧困／富裕という問題と不幸／幸福という問題は別に考えればよいことである。彼らは幸福かもしれないが貨幣所得はないのだから「定義上」貧困なのだ。「貧しくても幸福なのだ」と考えればよいではないか、と。「貧しくても幸福な」生があるということは事実だ。けれどもそれは、たとえばわれわれの住む都市のように、貨幣経済の支配しつくしたシステムの中で、しかし貨幣を少ししか得ることができず、(つまりげんみつに貧困で、)けれども愛情や感動のような至高のものに祝福されてあるような生のことである。貨幣をはじめから必要としない世界の「貧困」を語るのは、空を飛ぶ鳥も野に咲く百合も収入がないから「貧困」だということと同じくらいに、意味のない尺度なのである。

1　貨幣所得は、貧困／富裕の近似的な尺度であり、不幸／幸福の尺度の一つであるため、開発主義的な政策で所得を向上させることが幸福の実現につながる。

2　貧困層の定義を１日あたりの生活費が１ドル以下であるという定義から、現在の「極貧層」の定義まで引き下げた方が、現在ある貧困の構造を的確に表すことになる。

3　貨幣所得を必要としないシステムにいた人間を、所得だけで「貧困」と間違った定義づけをし、開発主義的な政策を行うことは、不幸を増大させる可能性が高い。

4　われわれの住む貨幣経済の支配しつくしたシステムの中では、１日１ドルの所得では生活できないため、これを「貧困」の定義として採用するのは意味がない。

5　貧困についての尺度が不適切であるために、一見誤った認識がされているが、現代に住む世界中の人々は、統計に表れているよりも実際は富裕で幸福な暮らしをしている。

重要度	★★★	解答時間	4分	正解	3

 解説　**この文は、アメリカなどが提唱しているグローバリゼーションに疑問を投げかけている。貨幣経済の機能している国の価値観で、貨幣経済の機能していない国の人々の「貧困／富裕」「不幸／幸福」を定義することは無意味だという主張が問題文のテーマである。そこで、まずこの定義そのものの誤りに言及しているかどうかが、要旨として妥当かどうかの判断のポイントになる。**

✕**1**　貨幣所得を尺度とすることに疑いをもっていないし、所得向上が幸福の実現につながるという論調は問題文の趣旨と反対である。

✕**2**　貧困のレベルを貨幣価値でどう定義するかということしかいっていないので、やはり、問題文の趣旨をつかんでいない。

○**3**　「貨幣所得を必要としないシステム」があることに言及し、所得だけで「貧困」と定義することの誤りを指摘していて、問題文の趣旨にあっている。

✕**4**　「貨幣経済の支配しつくしたシステム」の世界にしか言及していないので、問題文の趣旨をつかんでいるとはいえない。

✕**5**　最も重要な、「貧困についての尺度が不適切」な理由について言及していないので、問題文の要旨とはいえない。

次の文章の要旨として、最も妥当なものはどれか。

〈罪の文化〉の基礎にあるのが一神教的な宗教観であるのに対して、〈恥の文化〉
の基礎をなしているのは多神教的な宗教観である。そこでは一神教的な絶対的価
値が存在していないため、自分と違う立場にあるものに対して比較的寛容である。
少なくとも一神教的な宗教に見られるようなあからさまな不寛容は起こりようが
ない。だから、逆に一神教的な世界で激しい不寛容に出会うと、私なども、ひど
くおそろしい思いがする。民族的抗争に伴う宗教的不寛容のなによりの恐ろしさ
は、どんなに小規模な小競り合いであっても、最終的には自分の死に〈世界〉全
体を道連れにするような精神構造である。

〈恥の文化〉においては、〈罪の文化〉に見られるような激しい不寛容はない。
しかし、そこには別種の不寛容がある。〈恥の文化〉のなかでは、人びとは相対
的基準のうちに生きてはいるが、そのことは、いつでも相互に寛容であることを
意味しない。というのは、本来は相対的基準であったものがあるいは習慣として
固定化し、あるいは緊迫化した状況のもとでは絶対化してかえって人びとをつよ
く強制することがあるからだ。そのことは、日本社会ではムード的な共同性が成
り立ちやすく、問題によってはきわめて能率的に社会が方向づけられうる一方で、
一人ひとりが気がつかないうちに共犯関係のうちにとり込まれ、責任の所在がひ
どく不明確になるということのうちに見られる。

1 日本は本質的に恥の文化のもとにあり、そのため寛容的である反面、一定の
   条件下ではきわめて不寛容となる。こうした特徴のため、日本は高い能率性と
   責任のあいまいさを併せ持つに至っている。

2 恥の文化を形成しうるのは多神教的宗教観であり、この宗教観の下ではすべ
   ては曖昧となり明瞭な境界がない。日本は古くから多神教であり、恥の文化を
   育んできた。

3 一神教的な宗教を持つ国はあからさまな不寛容を示すことがある。多神教的
   宗教観の下で育った日本人はこの激しい不寛容さに出会うとき、全くの異質性
   を感じ取る。

4 日本は多神教の国であり、したがって他者に対しては寛容である。しかし恥
   の文化のもとでは相対的基準がないため、他者への絶対的な強制を伴ってしま
   うことがある。

5 罪の文化か恥の文化かは、一神教か多神教かという宗教観の違いによって生まれ、その違いは不寛容か寛容かという差をもたらす。日本は恥の文化に裏づけられた寛容な国であり、良好な共同社会が成立してきた。

| 重要度 | ★★★ | 解答時間 | 3分30秒 | 正解 | 1 |

解説 〈罪の文化〉と〈恥の文化〉という異なる文化を対比させて論じている文章である。多神教的な宗教観に基づく〈恥の文化〉が、〈罪の文化〉とは別種の不寛容をもち、しかも、その不寛容に「責任の所在の不明確さ」が伴うということが、この問題文の主要な内容である。要旨として妥当かどうかは、この〈恥の文化〉の問題点、つまり「責任の所在の不明確さ」に言及しているかどうかで判断する。

○1 「責任のあいまいさ」という表現がある。
×2 「すべては曖昧となり明瞭な境界がない」とあるだけで、「曖昧」なのは「責任の所在」であることにふれていない。
×3 第二段落の内容にふれていない。
×4 「恥の文化のもとでは相対的基準がない」と述べてはいない。
×5 日本を「寛容な国」「良好な共同社会」と位置づけているだけで、本文の内容と異なる。

▶▶ **一神教と多神教を知る**

- **一神教**…唯一絶対の神が存在し、それを信仰する宗教。イエスを救世主とするキリスト教、ヤハウェを唯一神とするユダヤ教、アラーを唯一神とするイスラム教など。
- **多神教**…多数の神々が存在し、それを信仰する宗教。天照大神やイザナギ、イザナミなど多くの神を信仰する日本の神道、シヴァ、ヴィシュヌなどの多くの神がいるヒンドゥー教など。

次の文章の要旨として、最も妥当なものはどれか。

　ところで、私たちは、どうして、都市が徐々に作られたという印象をもつにいたったのだろうか。私たちの誰もが、日本のあちこちで、農地や山林に少しずつ家が建つようになり、やがて家が急速に増えて、市街地が形成される光景に出会っている。私たちの身近なところで、市街地が徐々に形成されている。しかしそれは都市の膨張の側面であって、都市の建設とは、区別されなければならない。新しい都市の建設と都市の膨張とは同じものではない。その意味では、都市の核となるような機関の立地など、そうたびたびあるわけではなかった。

　東京も今のような都市として発展するには何度か飛躍の契機があった。まず、太田道灌が江戸城を建設した。その後、秀吉は江戸に家康を転封し、関東の拠点としての江戸の発展がはじまった。さらに関ヶ原の合戦後、江戸は徳川幕府の拠点として、幕藩体制の政治の中心となったのである。維新後、明治国家は江戸を東京と改名するとともに、そこを首都として欧米風の近代国家を発展させようとしたのである。

　城下町に起源をもたない大都市としては、横浜と神戸がある。しかしこれらの都市が大都市への歩みをはじめたのは、幕府や明治政府が外国貿易の拠点として港湾施設を建設したためである。なかには豊田市のように、田舎の工場が生産を伸ばしていって、その集落が都市へと発展する場合も少なくない。しかしそうした場合も、トヨタ自動車が発展の拠点を挙母町に置くという「意思決定」を行ったためであった。そして莫大な資本が、挙母町に投下されていった。つまり挙母町は、トヨタ自動車の権力機構の内部での数々の意思決定で、豊田市となる道を歩みはじめたのである。

　都市はさまざまな権力の重層的な意思決定によって生まれるもので、周辺部に膨張していくならともかく、新たに都市が建設されることなど、めったにあることではなかった。新都市の建設は、それが社会的に大きな意味をもつものほど、建設のための社会的「同意」を得ることは困難なのである。通常、それぞれの権力は既存の都市に施設をつけ加えることで、目的を達成しようとするのである。

1　都市は、長年にわたって作りあげられてきたものであり、人びとの生活を通して集落の気風がにじみ出て、各集落の個性が形成され、拡大し、都市となっていった。

2　都市の形成は、その場所に集落が形成されていたことがはじまりであり、権力が目的を達成するうえで行ってきた数々の意思決定を経て大都市となっていくことが多い。

3　都市の建設は、権力の数々の意思決定によって行われるものであるが、権力は都市建設を減多に行わず、既存の都市に新たな施設を付け加えることで目的を達しようとする。

4　都市の膨張と都市の建設は区別されるべきで、既存の都市に新たな施設を付け加えることこそ都市の建設である。

5　核となるような機関が作られてから都市が形成される場合は、都市の盛衰は統合機関の活動次第である。

重要度	★★	解答時間	3 分	正解	3

解説　**要旨を読み取るためには、問題文にキーワードが隠されていないか、考えてみよう。**

　問題文では都市の例として、東京、横浜、神戸、豊田が挙げられている。これらの都市の発展にかかわる共通のキーワードは「意思決定」である。東京は太田道灌が江戸城を建設し、引き続いて徳川家康が徳川幕府の拠点とした。さらに明治政府が首都と定めた。つまり、三度にわたって為政者の意思決定が働いている。また、横浜と神戸の発展も、徳川幕府や明治政府が外国貿易の拠点としようとした意思決定の結果である。また、豊田市は為政者は関わっていないが、トヨタ自動車という大企業が生産の拠点とする意思決定をしている。

　1〜5の選択肢のうち、「意思決定」に言及しているのは 2 と 3 である。だが、2 は集落が「大都市となっていく」としていて、「都市の建設」と「都市の膨張」とを混同している。これは「新しい都市の建設と都市の膨張とは同じものではない」と明言している問題文の要旨とはならない。3 は 2 と似ているように見えるが、膨張ではなく、「既存の都市に新たな施設を付け加える」としており、問題文の主張と一致する。

空所に短文Ａ～Ｅを並べかえて入れ、一つのまとまった文章にするのに最も
妥当な組み合わせは、次のどれか。

日本語で「背を向ける」とは無視や拒絶を意味するが、欧米社会でも同様で、
相手から背中を見せられれば、冷ややかに無視され、おとしめられることにほか
ならない。

〔　　　　　　　　　　　　　　　　　　　　　　　　　　　　　　　　　　　　　〕

行列に並ぶことは、そのような美的にも象徴的にも隠蔽すべき身体部位を見知
らぬ人間の視線にさらすことになるのだ。

Ａ　だれでも体の背面は前面のようにはコントロールが利かず、身だしなみが行
　　き届きにくい。
Ｂ　その上、後ろに立つ人の視線は自然に前の人の後頭部に向くが、日本人の女
　　性が襟足に念入りの化粧を施したりするように、体のその辺りは特別な意味を
　　持つことが多い。
Ｃ　従って、他人の背中なぞ見たくはないのは当然だが、更に不愉快なのは、自
　　分の背面を後ろの人に見せることになることだ。
Ｄ　そのために、当惑するような汚れがあるのではないかと後ろの人の視線に落
　　ち着かない気分にさせられる。
Ｅ　フランスの一部では「妻は夫に頭の後ろ側を見せてはならず、ましてや見知
　　らぬ男に見せてはならない。」と言われたという。

1　Ｃ－Ｅ－Ｂ－Ａ－Ｄ
2　Ａ－Ｃ－Ｅ－Ｂ－Ｄ
3　Ｃ－Ａ－Ｄ－Ｂ－Ｅ
4　Ａ－Ｂ－Ｅ－Ｄ－Ｃ
5　Ｃ－Ｄ－Ａ－Ｅ－Ｂ

| 重要度 | ★★ | 解答時間 | 3分 | 正解 | 3 |

 解 説

　前の段落のキーワードを引き継いでいる段落を探せば、文章がうまくつながる。まず、第一段落の「相手の背中」を受ける段落を探すと「C他人の背中→自分の背面」が適合する。さらに「A背面の身だしなみ」→「D後ろの人の視線」→「B後頭部への後ろの人の視線」→「E頭の後ろ側を見せてはいけない」→「隠すべき部位を他人の視線にさらす」という展開になる。

覚えておこう

「背を向ける」以外にも、人間の体の名前を使ったことわざや慣用句はたくさんある。

背に腹はかえられない……差し迫った危機を逃れるためや大切なことのために、やむを得ずほかのものを犠牲にすること。

腹に一物（いちもつ）……心の中に何かたくらみをもっていること。

口は禍（わざわい）のもと……不用意に言ったことで思いがけない禍を招くことがある。

きびすを返す……引き返すこと。「きびす」はかかとの意。

てのひらを返す……急に態度が一変すること。あまりいい意味では用いられない。

たなごころを指す……きわめて明白なこと。「たなごころ」はてのひらの意。

耳をそばだてる……注意して聞く。密かに話を聞く。

目をそばだてる……横目で見ること。「目をそばめる」ともいう。

目に一丁字（いっていじ）なし……字をひとつも知らないこと。

眉（まゆ）を読む……人の表情を見て、その本心を読み取ること。

焦眉（しょうび）の急……危険が差し迫っていること。

愁眉（しゅうび）を開く……心配ごとがなくなってほっとすること。

次の文章は能楽論の一部である。この文章の要旨として、最も妥当なものは
どれか。

一、秘する花を知る事。秘すれば花なり、秘せずば花なるべからず、となり。
この分け目を知る事、肝要の花なり。

そもそも、一切の事、諸道芸において、その家々に秘事と申すは、秘するに
りて大用あるがゆゑなり。しかれば、秘事といふ事をあらはせば、させる事にて
もなきものなり。これを、「させる事にてもなし」と言ふ人は、いまだ秘事とい
ふ事の大用を知らぬがゆゑなり。

まづ、この花の口伝におきても、「ただめづらしきが花ぞ」と皆人知るならば、
「さてはめづらしき事あるべし」と思ひ設けたらん見物衆の前にては、たとひめ
づらしき事をするとも、見手の心にめづらしき感はあるべからず。見る人のため
花ぞとも知らでこそ、為手の花にはなるべけれ。されば、見る人は、ただ思ひの
外に面白き上手とばかり見て、これは花ぞとも知らぬが、為手の花なり。さるほ
どに、人の心に思ひも寄らぬ感を催す手立、これ花なり。

※ 大用（大きな効用）
※ 口伝（芸の奥義などを口頭で伝えること）
※ 見手（観客）
※ 為手（能の主役）

1　芸道でいう〈花〉というものは、実は大したことのないものだから隠してい
るのだ。
2　珍しい事を演じても珍しく見せない事こそが芸の〈花〉である。
3　観客にはそれと知らせず、珍しいものを演じてみせて予想外の感動を引き起
こすことこそが芸の〈花〉である。
4　珍しいものを見せてくれると観客が期待しているからこそ、珍しいものを見
たときの感動がより高まるのである。
5　人は珍しいものを見せても、それだけでは感動しない。

重要度	★★	解答時間	3分	正解	3

　問題文は「秘すれば花なり」という芸能論を説いた文章である。ここで重要なのは「秘す」、つまり「一般の人や観客に隠している」ことで、だからこそ演じたときに予想外の感動を引き起こし、〈花〉となるといっていることをつかむことがポイント。その内容にあっているのは **3** のみである。

（『風姿花伝』）

現代語訳

　芸における〈花〉というものは秘密にするべきだという事を知らなければならない。秘密にするからこそ〈花〉になるのであって、秘密にしなければ〈花〉にはなり得ない。この花となるかならないかの理由を分別することが、〈花〉の秘訣である。

　そもそも、世間の一切の諸道、諸芸において、その道の家に秘事というものがあるのは、それを秘密にしておくことによって大きな効用があるからなのだ。だから、秘事というものの内容を明白にしてみると、大したものではないのである。これを、「大した事でもない」と言う人は、まだ秘事というものの効用を知らないから、そんなことを言うのである。

　だいたい、私が今説明している〈花〉の秘伝にしても、「単に珍しさが〈花〉というものなのだ」とみんなが知っているなら、「きっと珍しい事をするだろう」と期待する。そういう見物人の前では、たとえ珍しい事を演じたとしても、見る人には珍しさは感じられないだろう。見る人が〈花〉ということを知らずにいてこそ、能を演じるものの〈花〉になるのだ。そうすれば、見る人はただ、意外におもしろい上手な役者だと感じるだけで、これが〈花〉だと知らずにいるが、それが演ずる者の〈花〉なのである。つまり、人の心に予想外の感動を引き起こすやり方、これが〈花〉なのである。

次の文章中の下線の部分でいっていることの理由の説明として、最も妥当なものはどれか。

　抑、一期の月影かたぶきて、※余算、山の端に近し。たちまちに三途の闇に向はんとす。何のわざをかかこたむとする。仏の教へ給ふおもむきは、事にふれて執心なかれとなり。今、草菴を愛するもとがとす。閑寂に著するもさはりなるべし。いかゞ要なき楽しみを述べて、あたら時を過ぐさむ。

　しづかなる暁、このことわりを思ひつゞけて、みづから心に問ひていはく、世を遁れて、山林にまじはるは、心を修めて道を行はむとなり。しかるを、汝、すがたは聖人にて、心は濁りに染めり。

※ 余算（余命）

※ 三途の闇（死後の世界の不安なことをたとえた語。冥土・三悪道）

※ 閑寂（俗世を離れた静かな生活）

1　もう余命も短い老齢なのに、人里離れた山の中の草菴に一人で住むのは無謀だから。

2　ものに執着してはいけないと仏が教えているのに、ささやかな住まいとはいえ、草菴という財産をもっているから。

3　山の中の草菴の生活は寂しすぎて、かえって修行に身が入らないから。

4　世を離れた静かな生活にこだわるのは、ものに執着してはいけないという仏の教えに反しているから。

5　草菴に住んで聖人のように見せていても、心は濁っているから。

| 重要度 | ★ ★ | 解答時間 | 2分 | 正解 | 4 |

 解 説

　下線部分の直前にある「仏の教へ」がキーワード。仏は「事にふれて執心なかれ（何事にもとらわれるな）」と教えているのに、自分が「草菴を愛する」ことが「とが（罪）」だといっているのである。すると、1・3・5 ははずれ、2 と 4 が浮上する。一見同じような内容だが、本人が愛しているものを 2 は草菴という住まいととらえ、4 では草菴での生活ととらえている。後の文に「閑寂に著する」とあることから分かるように、著者が愛しているのは草菴での生活である。だが、修行に適している人の世を離れた静かな生活であっても、それに執着することは仏の教えに反することになる。

（『方丈記』）

現代語訳

　さて、月が傾いて山の端に近くなるのと同じように、私の人生もそろそろ残り少なくなって、あの世に向かおうとしている。今さら何を嘆こうとしているのか。仏がわれわれに教えたまう事の趣意は、何事にもとらわれてはいけないということである。だから、今、私がこの草菴の生活を愛しているのも罪となる行いなのだ。静かな生活に執着するのも、修行の障害になるのだろう。どうして役に立たない楽しみを言い立てて大切な時間を無駄にするだろうか。

　静かな明け方にこの道理をよくよく考えて、自分の心に問いかけて言うのには、「お前が人の世を離れてこの山林で生活しているのは、心を修めて仏の道を実践するためではないか、それなのにお前は、外見は僧だがその心には濁りがしみこんでいる」と。

次の文章の要旨として最も妥当なものはどれか。

　花はさかりに、月はくまなきをのみ見るものかは。雨にむかひて月をこひ、た
れこめて春の行衛知らぬも、なほ哀に情ふかし。咲ぬべきほどの梢、散りしをれ
たる庭などこそ見所おほけれ。歌の言葉書にも、「花見にまかれりけるに、はや
く散過にければ」とも、「さはる事ありてまからで」なども書けるは、「花を見て」
といへるに劣れる事かは。花の散り、月の傾くを慕ふならひはさる事なれど、こ
とにかたくななる人ぞ、「この枝、かの枝散りにけり。今は見所なし」などはい
ふめる。

※くまなき（かげりもなく輝いているところ）

※たれこめて（御簾を垂れて引きこもっていて）

※言葉書（詞書。歌集に載った歌の前書き）

1　満開の桜や、かげりもなく輝いている月をこそ見たいのに、雨の時に見えな
　い月を思ったり、御簾のなかにこもって春が過ぎてしまうのも気がつかないで
　いるのは情けないことである。
2　満開の桜や、かげりもなく輝く月だけがすばらしいのではなく、今にも咲き
　そうなつぼみがついた枝や、しおれた花が落ちている庭もそれなりの趣があっ
　てすばらしい。
3　桜は今にも咲きそうなつぼみがついた枝やしおれた花が落ちている庭といっ
　たものにこそ風情があるのに、咲き誇る満開の桜ばかりを誉めるのは風流とい
　うことが分からない人である。
4　「花見に行ったのに、もう花は散っていた」などという言葉書がついた和歌
　は「桜を見て詠んだ」という和歌に比べると見劣りがする。
5　満開の桜や満月を愛でるのでなく、桜が散ったり、夜が更けて月が傾いてい
　くことばかりを惜しむ人は、かたくなな人である。

| 重要度 | ★★ | 解答時間 | 3分 | 正解 | 2 |

　初めの一文が重要。「ものかは」は「……とはなんとしたことか」の意。つまり、「満開の桜や、かげりもなく輝きわたる月ばかりを見るものではない」という意味になる。そういう欠けるところのない状態だけでなく、雨の日に見えない月を思ったり、御簾のなかで春が過ぎていくのも知らずに過ごしたり、これから咲こうとするつぼみの様子や散ってしまった花、傾く月などを見るのも風情のあることだといっているのである。だから、**1・4・5**は除外される。ただし、満開の桜を愛でることを否定しているわけではないので、**3**は言い過ぎ。　　　　　　　　　　　　　　　　　　　　　　　　(『徒然草』)

現代語訳

　桜の花は美しく咲きそろったところばかりを、月はかげりもなく輝いているところばかりを見るものではない。降る雨を眺めながら、見えない月に思いをいたし、御簾を垂れてそのなかにこもっていて、春が過ぎてゆくのを知らずにいるのも、やはりしみじみと情趣深いものである。今にも咲きほころびそうなつぼみがついた梢や、しおれた花が散っている庭の様子などこそ見所が多い。歌の詞書にも「花見に行ったのに、既に散ってしまっていたので」とか、「差し支えがあって花見に行かずに」などと書いてあるのは、「花を見てこの歌を詠んだ」というものに劣るものではない。花が散ったり、月が傾くのを惜しむ習慣があるのはもっともだけれど、ことに愚かしい人になると、「この枝の花も、あの枝の花ももう散ってしまった。今は見所がない」などというようだ。

　「花」ということばは、奈良時代には中国から伝わった「梅」を指していたが、国風文化が盛んになった平安時代以降は、「桜」を指すようになった。

パブロ・カザルスがスペインを去った理由として、最も妥当なものはどれか。

And nobody could work as hard for peace and freedom. Pablo Casals spoke openly against the growing power of Fascism in Spain. During the Spanish Civil War, he gave charity concerts for the wounded and for refugees. On the eve of General Franco's victory in 1939, Pablo left Spain to live in France. He had no wish to remain in a country where there was no freedom, and he refused to perform in Spain in order to protest Franco's dictatorship.

During World war II Pablo Casals gave a number of concerts to raise money for victims of the war. When the war ended in 1945, he expected an end to the dictatorship in Spain. He hoped for support from the democratic countries for freedom in Spain. When he was disappointed, he refused to give public performances in those countries as a protest.

In 1950, however, Pablo Casals founded a festival in France.

1 He could not make a living as a musician.
2 He hoped to give public performances in democratic countries.
3 He looked at a democratic government of Spain.
4 He could not stand to live under Fascism.
5 He wanted to start a music festival in France.

語句を確認する
Fascism：ファシズム、極右的国家主義　　dictatorship：独裁制

※ [語句を確認する] は実際の問題には記載されていません（以下同）。

重要度	★ ★ ★	解答時間	3分	正解	4

解 説

×**1**「彼は音楽家として生計を立てることができなかった」本文に言及なし。
第1段落第3文ほかより、彼はチャリティー・コンサートを行ったり、諸
外国で公演を行うほど有名な音楽家だったことがわかる。

×**2**「彼は民主主義国家で公演を行うことを希望していた」本文に言及なし。
第2段落第3文に、「彼は民主主義国家からの支援を求めた」とある。

×**3**「彼はスペインの民主主義国家を見た」本文に言及なし。

○**4**「彼はファシズムのもとで生活することに耐えられなかった」。第1段落
第4〜5文に、彼はフランコ将軍が勝利する前夜にスペインを離れ、フラ
ンスに移り住んだが、それは自由のない国にとどまる意思がなかったから
だと書かれている。

×**5**「彼はフランスで音楽祭を始めたかった」。第3段落に、1950年にフランス
で音楽祭を開催したと書かれているが、彼が前からそれを望んでスペイン
を去ったという記述はない。

全訳

　そして平和と自由のために、同じくらい一生懸命に働くことができるもの
は誰もいなかった。パブロ・カザルスは、スペインで増大しつつあるファシ
ズムの力に公然と反対した。スペイン内戦の間、彼は負傷者や難民のための
チャリティー・コンサートを開いた。1939年のフランコ将軍の勝利の前夜、
パブロはスペインを去って、フランスに移り住んだ。彼には自由のない国に
とどまる意思は全くなく、フランコの独裁政治に抗議するために、スペイン
で演奏することも拒否した。

　第2次世界大戦の間、パブロ・カザルスは戦争犠牲者への募金をするため
に多くのコンサートを開いた。1945年に戦争が終わったとき、彼はスペイン
の独裁政治も終わることを期待した。彼はスペインの自由のために民主主義
国家からの支援を求めた。彼は失望させられ、抗議のためにそれらの国々で
の公演を拒否した。

　しかし1950年に、パブロ・カザルスはフランスで音楽祭を開催した。

過去 11 ルース・ベネディクトのいう日本文化の特徴の記述として、最も妥当なものはどれか。

In classifying cultures into "guilt cultures" and "shame cultures," the anthropologist Ruth Benedict described Japanese culture as a typical shame culture. According to her definition, a guilt culture inculcates absolute standards of morality and relies on the development of a personal conscience, while in a shame culture people feel bad only when caught in the act, rather than feeling guilty in an absolute sense. In other words, a shame culture relies on external sanctions for good behavior, not on an internalized conviction of sin.

1 絶対的な意味で罪を感じる。
2 内面的な罪の自覚に立脚する。
3 行為をとがめられても、それを無視する。
4 道徳の基準を説いて、個人の自覚の成長を促す。
5 良い行いに対する表面的拘束力に立脚する。

語句を確認する

anthropologist：人類学者　　inculcate：…を教え込む
sanction：拘束力　　conviction：確信

188

重要度	★ ★ ★	解答時間	3分	正解	5

解 説

✕**1** 「絶対的な意味で罪を感じる」とは、第2文後半で「恥の文化」に関しては rather than ...「…というより」で打ち消された感じ方。

✕**2** 「内面的な罪の自覚に立脚する」とは、第3文後半で「恥の文化」に関しては not on ...「…ではなく」で打ち消された特徴。

✕**3** 第2文後半の「恥の文化」では「行為の最中にとがめられたときのみ悪いと感じる」に矛盾。

✕**4** 第2文前半より「人々に絶対的な道徳の基準を教え込み、個人的な罪の意識の発達に立脚している」のは「罪の文化」であって、「恥の文化」つまり日本文化ではない。

◯**5** 第1文より a shame culture「恥の文化」が「日本文化」の代替表現であることがわかる。第3文 a shame culture relies on external sanctions for good behavior「恥の文化は良い行いを求める表面的拘束力に立脚している」

全訳

　文化を「罪の文化」と「恥の文化」に分類するとき、人類学者のルース・ベネディクトは日本文化を典型的な恥の文化であると説明した。彼女の定義によれば、罪の文化が人々に絶対的な道徳の基準を教え込み、個人的な罪の意識の発達に立脚しているのに対し、恥の文化においては、人々は絶対的な意味での罪の意識を感じるというよりは、行為の最中にとがめられたときのみ悪いと感じる。言い換えれば、恥の文化は罪に対する内面的な自覚ではなく、良い行いを求める表面的拘束力に立脚しているのである。

次の英文は、陪審制度について書かれたものであるが、内容と一致している
ものはどれか。

A jury is a group of citizens who are not legal experts, but by
their good sense and judgment determine what they believe is the
truth. There are two types of juries. The grand jury decides whether
to formally try a person suspected of a crime. The petit jury is
present throughout a trial and is responsible for reaching a verdict.

The members of the jury are selected at random. The selected
members must be present at the trial and decide the guilt or innocence
of the defendant. Jury duty is an obligation the citizens must fulfill,
similar to paying taxes. They may not turn down their jury obligation
except for legitimate reasons.

The jury originated in ancient Greece in the 4th century B.C., and
was later adopted by Great Britain. It is now used extensively in the
United States. In determining guilt or innocence, the jurors in principle
must reach a unanimous verdict, but there are some states that accept
a majority vote.

1 陪審制度は、感情や利害による裁判になるという意見がある。

2 大陪審では、正式の起訴をするかどうかを決定する。

3 陪審員に選ばれた国民は、いかなる理由があっても裁判に加わらなくてはな
らない。

4 日本でもかつて、陪審制度が実施されたことがある。

5 有罪無罪の判決は、原則として多数決で行われる。

語句を確認する

decide whether to *do*：…すべきかどうかを決断する

try a person：人を審理する

a person suspected of a crime：ある犯罪について疑いをかけられた人

verdict：（陪審員が下す）評決　　defendant：被告

legitimate：正当な　　juror：陪審員　　unanimous：全員一致の

| 重要度 | ★ | 解答時間 | 4分 | 正解 | 2 |

解説

×**1** 本文に言及なし。

○**2** 第1段落第3文より、大陪審は犯罪の疑いをかけられた人を審理すべきか否かを正式に判断する。

×**3** 第2段落第4文より、陪審員に選ばれた人は正当な理由なしに陪審の義務を断ることはできない。正当な理由があれば、断ることができると解釈される。

×**4** 本文に言及なし。

×**5** 第3段落最終文より、原則として陪審員は全員一致の評決に至らなければならず、多数決を採用している州は存在するが、これは原則とは言えない。

全訳

陪審とは、法律の専門家ではないが彼らの良識と判断力で、彼らの信じるものを真実だと判決を下す市民のグループである。陪審には2種類がある。大陪審は犯罪の疑いをかけられた人を審理すべきか否かを正式に判断する。小陪審は審理の一部始終に同席し、評決を下す責任がある。

陪審員は無作為に選ばれる。選ばれたメンバーは審理に在席せねばならず、被告の有罪・無罪の判決を下さなければならない。陪審の仕事は市民が果たさねばならない義務の1つであり、納税と似ている。彼らは正当な理由なしに陪審の義務を断ることはできない。

陪審は紀元前4世紀の古代ギリシャに起源をもち、後に英国で採用された。現在では合衆国で広範に利用されている。有罪か無罪かを決める際は、陪審員たちは原則として全員一致の評決に至らなければならないが、中には多数決を採用している州もある。

次の手紙の主旨として妥当なものはどれか。

Dear Dr ......,

Thank you for your letter. I am delighted to be able to accept your invitation to write a review on the current status of insect pathogens as pest control agents.

Please let me know what length of article is required and also the date by which it should be submitted. Since I am very busy and shall be writing in English, not Japanese, I shall require plenty of time for preparing and organizing the necessary material.

Yours sincerely,

［語句］insect pathogens 昆虫の病原体／pest control agents　害虫駆除要因

1　招待を受諾できるという返事を書けて嬉しい。学会の期間と到着日時を教えて欲しい。自分は英語でものを書くのが苦手なのでその点の考慮を願いたい。

2　論文の執筆依頼は喜んで受諾したいが、自分は忙しいし英語で執筆するのには準備にかなり時間がかかるので、ついては字数と提出期限を知らせて欲しい。

3　あなたの紹介によって論文を書くことができて喜んでいる。論文は英語で書きたいので、論文の長さと正式な受諾の返事をする期限について教えて欲しい。

4　論文執筆の誘いは嬉しいが、執筆期間と提出期限について要望できるかどうか知らせて欲しい。論文を英語で書くためには時間が非常にかかるからである。

5　ご依頼により論文を執筆できて喜んでいたのだが、一体どの部分が問題でいつまでに返事が欲しいのか。私は英文での執筆や実験の準備で非常に忙しい。

語句を確認する
review on ...：…に関する論評

重要度	★★★	解答時間	2分	正解	2

解説

✗1 本文第2段落第1文より、筆者が知らせて欲しいと思っているのは、求められている記事の長さと提出期限。学会の期間と到着日時ではない。

◯2 本文第1段落第2文より、筆者が論評執筆の依頼を受けて喜んでいる点が一致。本文第2段落第2文より、筆者が忙しいうえに英語での執筆の準備に時間がかかると考えている点が一致。本文第2段落第1文より、筆者が知らせて欲しいと思っているのは、記事の長さと提出期限である点が一致。

✗3 筆者が知らせて欲しいと思っているのは、正式な受諾の返事をする期限ではない。

✗4 筆者が知らせて欲しいと思っているのは、執筆期間と提出期限について要望できるかどうかではない。

✗5 本文第2段落より、筆者はまだ執筆を始めていないことは明らかで、「執筆できて喜んでいた」や「どの部分が問題で」や「いつまでに返事が欲しいのか」は本文の内容と一致しない。

（『科学者のための英文手紙の書き方』　黒木登志夫／F・ハンター・藤田　朝倉書店）

section
4
一般知能
16 文章理解

全訳

　拝啓、…博士

　お手紙ありがとうございます。貴殿からの、害虫駆除要因としての昆虫病原体の現状に関する論評執筆のお誘いをお受けできることをうれしく思います。

　求められている記事の長さと提出期限もお知らせください。私は非常に多忙なうえ、日本語ではなく英語で書くつもりですので、必要な資料の準備とそれをまとめるのにかなりの時間が必要と思われます。

　敬具

17 数的処理

過去 1 2桁の正の整数を a とし、a の 10 の位の数字と 1 の位の数字を入れ替えて作った 2 桁の整数を b とするとき、a + b が a − b よりも 36 大きいならば、a の約数はいくつあるか。

1　2
2　3
3　5
4　7
5　8

重要度	★★	解答時間	2 分 30 秒	正解	3

解 説　a+b が a−b より36大きいということから、a+b から a−b を引くと36になることがわかる。

$$a + b - (a - b) = 36$$
$$2b = 36 \qquad \therefore \quad b = 18$$

したがって、a は 81 となる。

$$81 = 3 \times 3 \times 3 \times 3$$

よって、その約数は 1、3、9、27、81 の 5 つである。

この問題のように約数を考えるとき、1 とその数自身も約数であることを忘れがちである。このようなイージーミスをしないように十分に気をつけよう。

3進法で1110と表される数と、3進法で11と表される数の積を、4進法で表したものはどれか。

1 2120

2 2123

3 2130

4 2200

5 2330

重要度	★★★	解答時間	2分30秒	正解	3

 まず、3進法で1110と11は、10進法ではどのように表される かを考えよう。

3進法で1110と11をそれぞれ10進法で表すと、

$\quad$ 1110：$1 \times 3^3 + 1 \times 3^2 + 1 \times 3^1 + 0 \times 3^0 = 39$

$\quad$ 11：$1 \times 3^1 + 1 \times 3^0 = 4$

よって、その積は、$39 \times 4 = 156$

156を右のようにして4進法で表すと **2130** となる。

10進法↔n進法

• **n進法を10進法で表す…**

n進法で表すとa桁の数ABCD…は、10進法で 表すと、次のようになる。

$\quad$ $\mathrm{A} \times n^{a-1} + \mathrm{B} \times n^{a-2} + \mathrm{C} \times n^{a-3} + \mathrm{D} \times n^{a-4} + \cdots$

• **10進法をn進法で表す…**

右図のように、10進法で表された数をnでそれ 以上割れなくなるまで割っていき、最後の商とあ まりを矢印の向きに書くと、n進法で表すことが できる。

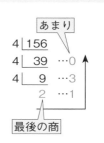

0.48％の食塩水 800g が入った容器に 0.08％の食塩水を 200g 加えてよく攪拌し、混合された食塩水から 200g を取り除いた。残った食塩水に水を 200g 加えてよく攪拌した後、再び 200g の食塩水を取り除いた。残った食塩水に再度水を加えてよく攪拌し 1000g の食塩水をつくったものとすると、この食塩水の濃度はいくらか。

1 0.252％

2 0.256％

3 0.260％

4 0.264％

5 0.268％

重要度	★★	解答時間	3 分	正解	2

解 説 まず、最初の 2 つの食塩水を混合したときに含まれている食塩の質量を求める。

0.48％の食塩水 800g に含まれる食塩の質量は、

$$800 \times \frac{0.48}{100} = 3.84[g]$$

0.08％の食塩水 200g に含まれる食塩の質量は、

$$200 \times \frac{0.08}{100} = 0.16[g]$$

よって、混合された食塩水に含まれる食塩の質量は、

$$3.84 + 0.16 = 4.00[g]$$

1000g の食塩水から 200g を取り除き、水を 200g 加えるという操作を 2 回行っているので、食塩水に含まれる食塩の質量が 1 回の操作で $\frac{4}{5}$ になっていることに注目し、最終的な食塩水に含まれる食塩の質量を求めると、

$$4.00 \times \frac{4}{5} \times \frac{4}{5} = 2.56[g]$$

したがって、最終的な食塩水の濃度は、

$$\frac{2.56}{1000} \times 100 = 0.256[\%]$$

A、B、C の 3 人は、定価 6000 円の品物を共同購入することにした。A の出資金の 3 倍は、B と C の出資金の和の $1\frac{1}{6}$ にあたり、B の出資金の 5 倍は C の出資金の 7 倍に等しいという。C の出資金はいくらか。

1 1680 円
2 1740 円
3 1800 円
4 2380 円
5 2520 円

| 重要度 | ★★ | 解答時間 | 3 分 30 秒 | 正解 | 3 |

 解説 A、B、Cの出資金をそれぞれ*A*、*B*、*C*として、いくつかの方程式をつくり、それらをもとに解く。

A、B、C の出資金の和は 6000 円より、$A + B + C = 6000$ ……①

A の出資金の 3 倍は、B と C の出資金の和の $1\frac{1}{6}$ にあたるので、

$$3A = 1\frac{1}{6}\ (B + C) = \frac{7}{6}\ (B + C)\ ……②$$

B の出資金の 5 倍は C の出資金の 7 倍に等しいので、

$$5B = 7C \qquad B = \frac{7}{5}C\ ……③$$

③式を②式に代入して、

$$3A = \frac{7}{6}\left(\frac{7}{5}C + C\right) = \frac{14}{5}C \qquad A = \frac{14}{15}C\ ……④$$

③式と④式を①式に代入して、

$$\frac{14}{15}C + \frac{7}{5}C + C = \frac{50}{15}C = \frac{10}{3}C = 6000 \qquad C = 1800[円]$$

Aが1人で仕上げると70日、Bが1人で仕上げると20日、Cが1人で仕上げると30日かかる仕事がある。この仕事をBとCが同じ日数一緒に働いて半分仕上げた。残りの半分をAとCの2人が同じ日数一緒に働いて仕上げたものとすると、この仕事をA、B、Cの3人は何日がかりで仕上げたことになるか。

1　15.5日
2　16.5日
3　17.5日
4　18.5日
5　19.5日

重要度	★★★	解答時間	3分30秒	正解	2

　全体の仕事量を1として考え、それに対するA、B、Cの1日の仕事量を分数で表す。2人で仕事をするときは、1日の仕事量はそれぞれの和となる。

全体の仕事量を1とすると1日の仕事量は、Aは$\frac{1}{70}$、Bは$\frac{1}{20}$、Cは$\frac{1}{30}$となる。

BとCが一緒に仕事をしたときの1日の仕事量は、

$$\frac{1}{20}+\frac{1}{30}=\frac{5}{60}=\frac{1}{12}$$

BとCの2人で半分仕上げたので、かかった日数は、

$$\frac{1}{2}\div\frac{1}{12}=\frac{1\times12}{2\times1}=6[日]$$

AとCが一緒に仕事をしたときの1日の仕事量は、

$$\frac{1}{70}+\frac{1}{30}=\frac{10}{210}=\frac{1}{21}$$

AとCの2人で残りの半分を仕上げたので、かかった日数は、

$$\frac{1}{2}\div\frac{1}{21}=\frac{1\times21}{2\times1}=\frac{21}{2}=10.5[日]$$

よって、A、B、C3人で仕事を仕上げるのにかかった日数は、

$$6+10.5=16.5[日]$$

A 係と B 係が協力して 30 日間の予定で大規模な調査を行った。A 係は B 係の 2 倍の作業能力があったが、20 日間の作業を終えた時点で、A 係が他の仕事に能力を割かれてしまい、作業能力がちょうど半分になってしまった。残った両係の職員全員で今までの 20％増の超過勤務をするならば、作業が完了するのは当初予定された日の何日後か。

1 2日後 　　 **2** 3日後 　　 **3** 4日後 　　 **4** 5日後 　　 **5** 6日後

重要度	★★★	解答時間	3 分 30 秒	正解	2

解説 **21日目以降の 1 日の仕事量を求めることがポイントとなる。**

B係の 1 日の仕事量をBとすると、作業能力の落ちる前のA係の仕事量は$2B$となる。よって、B係の 1 日の仕事量は、

$$1 \div (B + 2B) = 30 \qquad \frac{1}{3B} = 30 \qquad B = \frac{1}{90}$$

作業能力の落ちた後の A 係の 1 日の仕事量は、B 係と等しく$\frac{1}{90}$となる。

21 日目以降の 1 日の仕事量の合計は、

$$\left(\frac{1}{90} + \frac{1}{90}\right) \times (1 + 0.2) = \frac{2}{90} \times \frac{12}{10} = \frac{2}{75}$$

よって、残りの調査を完了するのにかかる日数は、

$$\frac{1}{3} \div \frac{2}{75} = \frac{1 \times 75}{3 \times 2} = \frac{25}{2} = 12.5 [日]$$

予定では残り 10 日のはずであったので、$12.5 - 10 = 2.5 [日]$ 余分にかかり、完了するのは当初予定の 3 日後となる。

POINT 整理

1 日の仕事量 $= \dfrac{1}{所要日数}$ 　　 **所要日数** $= \dfrac{1}{1 日の仕事量}$

AとBは同じ学校に通っている。Aの家から学校までは1.8kmあり、Aがふだんより毎分10m遅く歩くと6分余計にかかるという。また、Bの家から学校までは1.0kmあり、Bがふだんより毎分10m早く歩くと5分早く着くという。ふだん二人は同時刻に学校に着くとすると、AとBがふだん家を出る時刻の差は何分か。

1 3分

2 5分

3 8分

4 10分

5 12分

重要度	★ ★	解答時間	4分	正解	2

解説 ふだんのA、Bの歩く速さをそれぞれ変数として、方程式をつくることができるかどうかがポイント。

Aがふだん歩く速さをv_A[m/分]とすると、

$$\frac{1800}{v_A}+6=\frac{1800}{v_A-10} \qquad \frac{1800(v_A-10)-1800v_A}{v_A(v_A-10)}=-6$$

$-18000=-6v_A(v_A-10)$ $v_A^2-10v_A-3000=0$ $(v_A-60)(v_A+50)=0$

$v_A>0$より、$v_A=60$[m/分]

Bがふだん歩く速さをv_B[m/分]とすると、

$$\frac{1000}{v_B}-5=\frac{1000}{v_B+10} \qquad \frac{1000(v_B+10)-1000v_B}{v_B(v_B+10)}=5$$

$10000=5v_B(v_B+10)$ $v_B^2+10v_B-2000=0$ $(v_B-40)(v_B+50)=0$

$v_B>0$より、$v_B=40$[m/分]

ふだんAが家から学校まで行くのにかかる時間は、$\frac{1800}{60}=30$[分]

ふだんBが家から学校まで行くのにかかる時間は、$\frac{1000}{40}=25$[分]

よって、AとBが家を出る時刻の差は、$30-25=5$[分]

過去 8

一周 8.8km の環状のジョギングコースがある。いま、コース上の地点 A から太郎が時計回りに走り始め、5 分後に次郎が同じ地点 A から 280m/ 分で反時計回りに走り出したところ、次郎が走り出してから 12 分後に二人はすれ違った。二人が同時に地点 A から逆向きに走り出したとき、二人がすれ違うまでに必要な時間として、正しいものはどれか。ただし、太郎、次郎とも走る速度は一定であるとする。

1　12 分 30 秒
2　13 分 20 秒
3　14 分 20 秒
4　14 分 40 秒
5　15 分 20 秒

section **4**

一般知能 **17** 数的処理

重要度	★ ★ ★	解答時間	3 分	正解	4

 解説　**まずは太郎の走る速さを求める必要がある。コース上を逆向きに走るとき、二人はそれぞれの走る速さの和の速さで近づいていく。**

太郎の走る速さを v[m/ 分] とすると、

$$v \times (5 + 12) + 280 \times 12 = 8800 \qquad 17v = 5440$$

$$\therefore \quad v = 320 [\text{m/ 分}]$$

二人が同時に走り出したときに、二人がすれ違うまでに必要な時間は、

$$\frac{8800}{320 + 280} = \frac{880}{60} = 14\frac{40}{60} [\text{分}] = 14[\text{分}]40[\text{秒}]$$

 ▶▶ **距離・速さ・時間**

速さ＝$\dfrac{距離}{時間}$　　時間＝$\dfrac{距離}{速さ}$　　距離＝速さ×時間

ある国の大陸横断鉄道の上りと下りの列車が両方とも同じ定常の速度ですれ違うと、先頭部分がすれ違ってから最後尾がすれ違うまでに要する時間はちょうど4.8秒であったという。このとき、両方の列車とも毎時36kmだけ速度をアップしてすれ違ったものとすると、すれ違うまでに要する時間はちょうど4.0秒になるという。この列車の先頭から最後尾までの長さはいくらか。なお、列車の長さは両方とも同じ長さである。

1 220m
2 240m
3 260m
4 280m
5 300m

重要度	★★★	解答時間	4分	正解	2

解説 片方の列車が止まっていて、もう一方の列車が2倍の速度で動くと考えるとわかりやすい。移動する距離は列車の長さの2倍となる。

この列車の速度をx[m/秒]、先頭から最後尾までの長さをy[m] とすると、先頭部分がすれ違ってから最後尾がすれ違うまでに要する時間はちょうど4.8秒であったことから、

$$\frac{2y}{2x}=4.8 \qquad y=4.8x \quad \cdots\cdots①$$

また、アップする列車の速度は毎時36kmなので、秒速に直すと、

$$36×1000÷60÷60=10[\text{m/秒}]$$

両方の列車とも10[m/秒]だけ速度が速くなったので、

$$\frac{2y}{2(x+10)}=4.0 \qquad y=4x+40 \quad \cdots\cdots②$$

②式に①式を代入すると、

$$4.8x=4x+40 \qquad 0.8x=40 \qquad x=50[\text{m/秒}] \quad \cdots\cdots③$$

③式を①式に代入して、

$$y=4.8×50=240[\text{m}]$$

ある車両数で編成され、一定の速さで走っている電車 A の前面が、それと同一方向に時速 42km で走っている 13 両編成の電車 B の最後尾に追い付いてから、電車 A の最後尾が電車 B の前面を完全に追い越すまでに 60 秒を要した。また、この電車 A が、それとは逆の方向から時速 54km で走って来た 9 両編成の電車 C とすれ違うとき、それぞれの電車の前面が出会ってから最後尾が完全にすれ違うまでに 12 秒を要した。この電車 A の車両数として、妥当なものはどれか。ただし、いずれの電車も 1 両の長さは 20m とし、車両の連結部分の長さは考えないものとする。

1　11 両
2　12 両
3　13 両
4　14 両
5　15 両

重要度	★★★	解答時間	3 分 30 秒	正解	2

解説　**2 つの場合とも、片方の電車が止まっているとして考える。**

電車Aの速さを x[m/秒]、車両数を y[両] とすると、42[km/時] $= \dfrac{70}{6}$ [m/秒] より、

$$\frac{20 \times (y+13)}{x - \dfrac{70}{6}} = 60 \qquad y = 3x - 48 \quad \cdots\cdots ①$$

54[km/時] $= 15$[m/秒] より、

$$\frac{20 \times (y+9)}{x+15} = 12 \qquad 5y = 3x \quad \cdots\cdots ②$$

②式を①式に代入して、$y = 5y - 48$　　$y = 12$[両]

▶ **電車の速度**

電車がすれ違うときの速さ = 2 台の電車の速さの和
電車が追い越すときの速さ = 2 台の電車の速さの差

過去 **11** 祖母、父親、母親、長男の4人からなる世帯のそれぞれの年齢について、次のア～ウのことがわかっているとき、父親の現在の年齢として、妥当なものはどれか。

ア 現在、この家族4人の年齢の和は173歳である。

イ 父親の年齢から母親の年齢を引いた数は、祖母の年齢から長男の年齢を引いた数の18分の1である。

ウ 4年前には母親の年齢は長男の年齢の4倍であり、来年、母親の年齢は長男の年齢の3倍になる。

1 43歳

2 44歳

3 45歳

4 46歳

5 47歳

重要度	★★	**解答時間**	3分	**正解**	5

解説 まずウをもとにして、次のような線分図をかいてみると、母親の年齢と長男の年齢の関係がよくわかる。

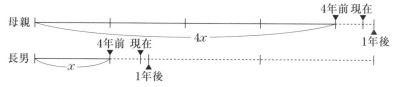

4年前の長男の年齢を x［歳］とすると、

$$3 \times (x+5) = 4x + 5 \qquad 3x + 15 = 4x + 5 \qquad x = 10 \text{［歳］}$$

よって、現在の長男の年齢は14歳、母親の年齢は44歳である。

父親の年齢を y［歳］とすると、**ア**より祖母の年齢は、$173 - 14 - 44 - y = 115 - y$［歳］となり、**イ**から、次の式が導かれる。

$$y - 44 = \frac{1}{18} \times (115 - y - 14) \qquad 18 \times (y - 44) = 115 - y - 14$$

$$19y = 893 \qquad y = 47 \text{［歳］}$$

静水面上で一定の速さで走る船がある。一定の速さで流れている川で、この船が川上の **A** 地点から川下の **B** 地点へ向かったところ、ちょうど 1 時間 30 分で **B** 地点に到着した。逆に **B** 地点から **A** 地点へ向かった場合には 2 時間 6 分で **A** 地点に到着した。また、この船の速さを毎時で 2 km アップして **B** 地点から **A** 地点へ向かった場合には 1 時間 45 分で **A** 地点に到着するという。**A** 地点から **B** 地点までの航路の長さはいくらか。

1　21km
2　22km
3　23km
4　24km
5　25km

| 重要度 | ★★★ | 解答時間 | 3 分 | 正解 | 1 |

解　説　いわゆる流水算の問題のように見えるが、流水算の知識は必要としない。**B** 地点から **A** 地点へ向かった場合の速さの変化に注目。

B 地点から **A** 地点へ向かった場合の船の速さを x [km/時]、**A** 地点から **B** 地点までの航路の長さを y[km] とすると、スピードアップする前は、

$$\frac{y}{x} = 2\frac{1}{10} \qquad 10y = 21x \quad \cdots\cdots ①$$

スピードアップした後は、

$$\frac{y}{x+2} = 1\frac{3}{4} \qquad 4y = 7 \times (x+2) \qquad 4y = 7x + 14 \quad \cdots\cdots ②$$

②式 × 3 − ①式より、

$$2y = 42 \qquad y = 21[\text{km}]$$

 船の速さ

上りの船の速さ ＝静水時の船の速さ−流速
下りの船の速さ ＝静水時の船の速さ＋流速

上底 AD が 16cm、下底 BC が 40cm の等脚台形 ABCD がある。この等脚台形の四辺の和が 96cm であるものとすると、この等脚台形の AB の中点 E と CD の中点 F を結んで得られる等脚台形 AEFD と等脚台形 EBCF の面積の比はいくらか。

1　2：3
2　5：7
3　7：12
4　11：17
5　13：19

重要度	★★	解答時間	3分	正解	4

解説　まずは、問題文に沿って図形をかいてみよう。

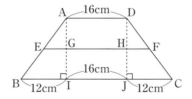

点 A と点 D から BC にそれぞれ垂線を下ろし、EF との交点をそれぞれ G、H、BC との交点をそれぞれ I、J とする。

等脚台形なので、BI ＝（40－16）÷2＝12［cm］となる。

△ABI と△AEG は相似で、相似比は 2：1 なので、EG ＝ 6［cm］

同様に、HF ＝ 6［cm］より、EF ＝ 6＋16＋6 ＝ 28［cm］

等脚台形 AEFD と等脚台形 EBCF は高さが等しいので、面積の比は（上底＋下底）の比と等しくなる。

AEFD：EBCF ＝（AD ＋ EF）：（EF ＋ BC）＝（16 ＋ 28）：（28 ＋ 40）
＝ 44：68 ＝ 11：17

各辺の長さが、24cm、32cm、40cm の三角形の中に描くことができる円のうち、最も大きな円の面積はどれか。

1　約 182cm^2
2　約 193cm^2
3　約 201cm^2
4　約 213cm^2
5　約 223cm^2

重要度	★★★	解答時間	3分	正解	3

解説　三辺の長さの比が 3：4：5より、問題の三角形は直角三角形になることがわかる。条件にあてはまる図は、右のようになる。

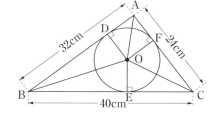

円 O と AB、BC、CA の接点をそれぞれ D、E、F とすると、

$$\triangle\text{ABC} = \triangle\text{OAB} + \triangle\text{OBC} + \triangle\text{OCA}$$

円の半径を r とすると、

$\triangle\text{ABC}=32\times24\div2=384\,[\text{cm}^2]$ 　　$\triangle\text{OAB}=32\times r\div2=16r\,[\text{cm}^2]$
$\triangle\text{OBC}=40\times r\div2=20r\,[\text{cm}^2]$ 　　$\triangle\text{OCA}=24\times r\div2=12r\,[\text{cm}^2]$
∴ 　$384=16r+20r+12r=48r$ 　　$r=8\,[\text{cm}]$

よって、円の面積は、$8\times8\times3.14=200.96\fallingdotseq201\,[\text{cm}^2]$

POINT 整理

三角形の内接円…$\dfrac{r(a+b+c)}{2}=S$ という関係が成り立つ。

（r：内接円の半径、a、b、c：三辺の長さ、S：三角形の面積）

次の図のように、1辺6の正方形 ABCD の内部に頂点 A、B を中心として半径6の円弧を描いた。このとき、図中の斜線部分の面積として正しいのはどれか。なお、円周率は π とする。

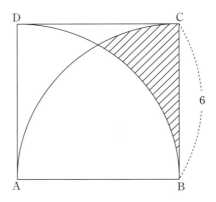

1 $9\sqrt{3} - 3\pi$

2 3π

3 $36 - 9\pi$

4 $27 - 3\pi$

5 $9\sqrt{3}$

| 重要度 | ★ ★ ★ | 解答時間 | 4 分 | 正解 | 1 |

解 説 補助線を引いて、図形をいくつかに分けて、面積を求める。正三角形をつくるのがポイントである。

円弧ACと円弧DBの交点を点Eとし、図のように、点Aと点E、点Bと点Eを直線で結ぶ。

辺AB、辺AE、辺BEは円弧の半径より、△EABは正三角形になり、

$$\triangle EAB = \frac{1}{2} \times 6 \times 6 \times \frac{\sqrt{3}}{2} = 9\sqrt{3}$$

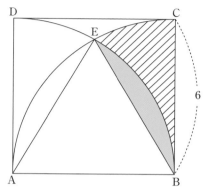

$\angle BAE = 60°$ より、

$$扇形ABE = 6 \times 6 \times \pi \times \frac{60}{360} = 6\pi$$

よって、図の ▇▇▇ の部分の面積は、$6\pi - 9\sqrt{3}$

$\angle CBE = 90° - 60° = 30°$ より、

$$扇形BCE = 6 \times 6 \times \pi \times \frac{30}{360} = 3\pi$$

したがって、斜線部分の面積は、

$$扇形BCE - ▇▇▇ = 3\pi - (6\pi - 9\sqrt{3}) = 9\sqrt{3} - 3\pi$$

▶▶ **面積の求め方**

三角形の面積＝底辺の長さ×高さ÷2

正方形の面積＝一辺の長さ×一辺の長さ

長方形の面積＝横の長さ×縦の長さ

台形の面積＝（上底の長さ＋下底の長さ）×高さ÷2

円の面積＝半径×半径×円周率

扇形の面積＝半径×半径×円周率×$\dfrac{中心角}{360}$

section 4 一般知能 17 数的処理

正四面体 A − BCD がある。AB、AC、AD をそれぞれ 1：2 に分ける点を通る平面で切断し、さらに AB、AC、AD をそれぞれ 2：1 に分ける点を通る平面で切断する。こうしてできた 3 つの立体のうち、BCD を含む立体の表面積は、A を含む三角錐の表面積の何倍か。

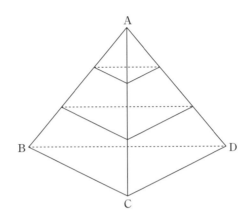

1　4 倍
2　5 倍
3　6 倍
4　7 倍
5　8 倍

重要度	★★★	解答時間	4 分	正解	4

解説　**A を含む三角錐の一辺の長さを決めて、それをもとにして、それぞれの立体の表面積を求める。**

A を含む三角錐の一辺の長さを $2a$ とすると、右図のように、底面は、底辺が $2a$、高さが $\sqrt{3}\,a$ の正三角形となる。よって、面積は、

$$2a \times \sqrt{3}\,a \div 2 = \sqrt{3}\,a^2$$

よって、A を含む三角錐の表面積は、

$$\sqrt{3}\,a^2 \times 4 = 4\sqrt{3}\,a^2$$

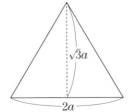

問題では、AB、AC、AD を三等分して
いるので、側面の正三角形は、右図のよ
うに分けられている。

BCD を含む立体の上面の正三角形の面
積は、

$$4a \times 2\sqrt{3}\,a \div 2 = 4\sqrt{3}\,a^2$$

底面BCDの面積は、

$$6a \times 3\sqrt{3}\,a \div 2 = 9\sqrt{3}\,a^2$$

よって、側面の台形の面積は、

$$9\sqrt{3}\,a^2 - 4\sqrt{3}\,a^2 = 5\sqrt{3}\,a^2$$

　（または、台形の面積の公式より、$(4a+6a) \times \sqrt{3}\,a \div 2 = 5\sqrt{3}\,a^2$）

BCD を含む立体の表面積は、$4\sqrt{3}\,a^2 + 9\sqrt{3}\,a^2 + 5\sqrt{3}\,a^2 \times 3 = 28\sqrt{3}\,a^2$

したがって、BCD を含む立体の表面積は、Aを含む三角錐の表面積の

$$28\sqrt{3}\,a^2 \div 4\sqrt{3}\,a^2 = 7\,[倍]$$

POINT 整理

● **代表的な直角三角形**

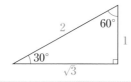
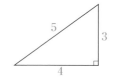

● **三平方の定理**…直角三角形の斜辺の 2 乗は、直角を挟む二辺の 2 乗の和
　　　　　　　　に等しい。

18 判断推理

過去
1 ある小学校の生徒A〜Eの5人が動物園に行き、パンダ、キリン、ゾウ、トラ、ライオン、シマウマを見た。Cはこのうち2種類の動物を見て、他の4人はそれぞれ3種類を見た。生徒たちが見た動物について次のア〜オのことがわかっているとき、妥当なものはどれか。

ア BとEが見た動物は全て異なる。

イ AとCが見た動物は1種類が同じで、AとDが見た動物は1種類が同じであった。

ウ AとEが見た動物は2種類が同じで、CとEが見た動物は2種類が同じであった。

エ パンダを見たのは4人で、ゾウを見たのは3人、シマウマを見たのは1人だった。

オ Aはゾウを見ておらず、また、Bはライオンを見ておらず、Dはキリンを見ていない。

1 Aはパンダ、キリン、ライオンを見た。

2 Bはキリン、ゾウ、シマウマを見た。

3 Cはパンダ、トラを見た。

4 Dはパンダ、トラ、シマウマを見た。

5 Eはパンダ、トラ、ライオンを見た。

重要度	★ ★ ★	解答時間	3 分 30 秒	正解	1

 解 説 まず、問題文に書かれた内容を表に表し、ポイントをおさえながら表をうめていく。この場合、「見た動物に○」、「見なかった動物に×」をつける。

	パンダ	キリン	ゾウ	トラ	ライオン	シマウマ
A	⑤○	㉚○	①×	㉙×	㉖○	㉔×
B	⑨×	㉑○	⑩×	㉒○	②×	㉓○
C	⑥○	⑭×	⑪○	⑮×	⑯×	⑰×
D	⑦○	③×	⑫○	㉘○	㉗×	㉕×
E	⑧○	⑱×	⑬○	⑲×	④○	⑳×
計	4 人		3 人			1 人

　まず、条件**オ**から①〜③をうめられる。また、条件**ア**より④には○が入る。ここで、条件**エ**から 4 人が見たパンダに注目すると、条件**ア**より、見ていないのは B か E のどちらかなので、⑤、⑥、⑦には○が入ることがわかる。さらに、条件**ウ**より、2 種類しか見ていない C が見た動物は E も見ていることから、⑧、⑨をうめられる。

　次に、条件**エ**より 3 人が見たゾウに注目すると、A 以外に見ていないのは、見た動物がすべて異なる B か E のどちらかになる。B を○とすると、C、E は×になり、条件に合わない。したがって、⑩〜⑬をうめることができる。

　これで、C と E が見た動物は確定したので、⑭〜⑳には×が入る。また、条件**ア**より、㉑〜㉓をうめることができる。

　シマウマに着目すると、条件**エ**より、㉔、㉕には×が入ることがわかる。

　ライオンに着目すると、条件**ウ**より㉖は○、条件**イ**より㉗には×、㉘には○が入る。

　条件**イ**より㉙には×、㉚には○が入る。

　ここで、選択肢に注目すると、**2**〜**5**はその内容がつくった表と一致しない。したがって、正解は**1**となる。

A、B、C、D、Eの5チームが1回戦の総当たり戦の1次リーグを戦い、勝ち点の上位2チームが2次リーグに進出した。勝ったチームには勝ち点3が、引き分けたチームには勝ち点1が与えられ、負けたチームには勝ち点が与えられなかった。また、勝ち点が同じだったときは、当該相手との対戦試合で勝った方が上位とした。A、B、C、D、Eの試合結果について次のことが分かっているとき、2次リーグに進出したチームの組み合わせとして、正しいのはどれか。

ア Aの結果は2勝2敗だった。
イ Bは1試合だけ引き分け、負けたのはDとの試合だけだった。
ウ Cは2試合だけ引き分けたが、1試合も勝てなかった。
エ DはAにだけ負けた。
オ Eは1試合も負けなかった。

1 AとB
2 AとE
3 BとD
4 BとE
5 DとE

| 重要度 | ★★★ | 解答時間 | 3分 | 正解 | 4 |

解説 与えられた条件をもとに、下の表のように、「勝つと○」「負けると×」「引き分けると－」という勝敗表をつくって考える。

		A	B	C	D	E	勝敗
競技者	A				エ○		2勝2敗
	B				イ×		2勝1敗1分け
	C						0勝2敗2分け
	D	エ×	イ○				1敗
	E						0敗

対戦相手

ア～オからすぐにわかることをまとめると、前ページの表のようになる。
① A は引き分けがない（**ア**）ので、**イ**より B は A に勝ったことが分かる。
② B は 2 勝 1 敗 1 分け（**イ**）で、E は B に負けていない（**オ**）ので、B は E と引き分け、残った C に勝っている。
③ A は 2 勝 2 敗（**ア**）で、E は 1 試合も負けなかった（**オ**）ので、A は E に負け、C に勝ったことになる。
④ C は 2 試合だけ引き分けた（**ウ**）ので、C は D と E と引き分けている。
⑤ **エ**、**オ**より、D と E は引き分けている。

よって、勝ち点は下の表のようになり、A と E は勝ち点 6 で並んでいるが、E は A に勝っているので、2 次リーグに進出したのは B と E である。

	A	B	C	D	E	勝ち点
A		①×	③○	**エ**○	③×	6
B	①○		②○	**イ**×	②−	7
C	③×	②×		④−	④−	2
D	**エ**×	**イ**○	④−		⑤−	5
E	③○	②−	④−	⑤−		6

▶▶ 勝敗表

人やチームなどのリーグ戦の勝敗を「勝ち＝○」「負け＝×」として表す。斜線をはさんで、○と×が対になっていることに注意する。

→対戦相手

		A	B	C	D	勝敗
	A		○	×	○	2−1
↓	B	×		○	×	1−2
競技者	C	○	×		○	2−1
	D	×	○	×		1−2

対になっている

この方向に○と×の数を数え、勝敗を考える

215

過去 3 A〜Fの6人の家の位置関係について以下のことがわかっているとき、確実にいえることとして、最も妥当なのはどれか。

・Aの家はDの家の南西にある。　　・Bの家はAの家の真東にある。
・Bの家はCの家の北東にある。　　・Dの家はBの家の北西にある。
・Eの家はDの家の真北にある。　　・Fの家はEの家の真東にある。
・AD間の家の距離とEF間の家の距離は等しい。

1　Aの家はCの家の北西にある。
2　Cの家はDの家の真南にある。
3　BD間の家の距離とDE間の家の距離は等しい。
4　6人の家の中ではCの家が最も西にある。
5　6人の家の中ではFの家が最も東にある。

重要度	★★	解答時間	3分	正解	5

解説　図をかいて整理するとわかりやすい。

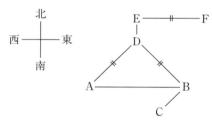

×**1** BC間の家の距離がわからないので、北西にあるとはいえない。
×**2** BC間の家の距離がわからないので、真南にあるとはいえない。
×**3** DE間の家の距離がわからないので、距離が等しいとはいえない。
×**4** BC間の家の距離がわからないので、最も西にあるのはAの家の可能性もある。
○**5** Dの家はAの家の北東、Bの家の北西にあり、Bの家はAの家の真東にあるので、AD間の家の距離とBD間の距離は等しい。よって、最も東にあるのはFの家である。

216

A～Cの3人がそれぞれ甲社、乙社、丙社のいずれかに勤めており、甲社に勤めている者のみが真実を言うことがわかっているとき、次のA～Cの発言から確実に言えることはどれか。

A 「私が甲社に勤めている。」
B 「Cは甲社に勤めていない。」
C 「Aは甲社に勤めていない。」

1 Aは丙社に勤めている。
2 Aは甲社に勤めている。
3 Cは乙社に勤めている。
4 Cは甲社に勤めている。
5 Bは甲社に勤めている。

| 重要度 | ★★★ | 解答時間 | 2分 | 正解 | 4 |

解説 乙社、丙社に関する発言はないので、甲社のみに注目して、勤めているときは○、勤めていないときは×として下のような表をつくって考える。

Aに関する発言がAとCで異なっているので、どちらかが真実を言っていることがわかる。
よって、Bはウソをついているので、「Cが甲社に勤めている」ことがわかる。
したがって、真実を言っているのはCである。

発言者	甲社
A	A ○
B	C ×
C	A ×

 ウソつき

すべての人がウソをついているときは、真実は何かを考えてから問題を解く。
ウソをついている人と真実を言っている人がいる場合は、それぞれの発言を表に整理してから考える。

秋葉原駅で降りた、つくばエクスプレスの乗客720人について調査したところ、次のア～カのことがわかった。このとき、東京都以外に住んでいる男性のうち、大人の人数として、妥当なものはどれか。

ア 東京都内に住んでいる人は504人であった。
イ 男性は552人であった。
ウ 子供は180人であった。
エ 東京都内に住んでいる男性のうち、子供は48人であった。
オ 東京都内に住んでいる女性のうち、大人は96人であった。
カ 東京都以外に住んでいる女性は36人で、全員大人であった。

1 84人
2 88人
3 92人
4 96人
5 100人

| 重要度 | ★★ | 解答時間 | 3分 | 正解 | 1 |

解説 ア～カの内容を下のように、表にまとめてみる。書ききれない内容は欄外に書いておく。

	男性		女性		合計
	大人	子供	大人	子供	
東京都内	④ 324 人	48 人	96 人	③ 36 人	504 人
東京都以外	⑥ 84 人	⑤ 96 人	36 人	0 人	② 216 人
合計	552 人		① 168 人		720 人

子供の合計 180 人

①乗客の総数は720人、男性の人数は552人なので、女性の人数は、

720－552＝168［人］

②また、東京都内に住んでいる人は504人なので、東京都以外に住んでいる
　人の人数は、
　　　720－504＝216［人］
③①より、東京都内に住んでいる女性のうち、子供の人数は、
　　　168－96－36－0＝36［人］
④③より、東京都内に住んでいる男性のうち、大人の人数は、
　　　504－48－96－36＝324［人］
⑤子供は180人いたので、東京都以外に住んでいる男性のうち、子供の人数
　は、
　　　180－48－36－0＝96［人］
⑥男性の人数は552人なので、東京都以外に住んでいる男性のうち、大人の
　人数は、
　　　552－324－48－96＝84［人］

数量関係

数量の関係を、表を用いて整理する。与えられた数値をもとにして空欄にあ
てはまる数値を順に埋めていく。

	男性		女性		合計
	大人	子供	大人	子供	
東京都内	④	48人	96人	③	504人
東京都以外	⑥	⑤	36人	0人	②
合計	552人		①		720人

［手順］
・与えられた数値から、①、②が求められる。
・①がわかれば、③が求められる。
・③がわかれば、④がわかる。
・子供の総数はわかっているので、③から⑤がわかる。
・④、⑤がわかれば、⑥がわかる。

次のア～オの命題が成り立つとき、確実にいえることはどれか。

ア テニスかバドミントンが得意な人は野球が得意である。
イ テニスが得意でない人はバスケットボールも得意でない。
ウ ラグビーが得意な人はバスケットボールが得意である。
エ サッカーが得意な人はバドミントンが得意である。
オ 剣道が得意でない人は野球が得意でない。

1 テニスが得意な人はバドミントンが得意である。
2 サッカーが得意な人はテニスもバドミントンも得意である。
3 ラグビーが得意な人はサッカーも野球も得意である。
4 剣道が得意でない人はラグビーもサッカーも得意でない。
5 テニスが得意でない人はバドミントンが得意である。

重要度	★★★	解答時間	3分	正解	4

 記号を使って与えられた命題を表し、その命題の対偶を考え、三段論法から、選択肢のうちで正しいものを選ぶ。

仮定→結論とし、得意でない場合は $\overline{○○}$ と表すとすると、与えられた命題は次のように表される。

ア テニス or バドミントン→野球
イ $\overline{テニス}$→$\overline{バスケットボール}$
ウ ラグビー→バスケットボール
エ サッカー→バドミントン
オ $\overline{剣道}$→$\overline{野球}$

これらの対偶をそれぞれ考える。

ア′ $\overline{野球}$→$\overline{テニス and バドミントン}$
イ′ バスケットボール→テニス
ウ′ $\overline{バスケットボール}$→$\overline{ラグビー}$
エ′ $\overline{バドミントン}$→$\overline{サッカー}$
オ′ 野球→剣道

それぞれの選択肢を検討していくと、

✕ **1** テニスとバドミントンをつなぐ矢印はできない。

✕ **2** エからサッカー→バドミントンとなるが、サッカー→テニスとなる矢印はない。

✕ **3** ウ→イ′→アから、ラグビー→バスケットボール→テニス→野球となるが、ラグビー→サッカーとなる矢印はない。

◯ **4** オ→ア′→イ→ウ′より、次のようになる。

$$\text{エ′}$$

剣道→野球→$\overline{\text{テニス and バドミントン}}$ →$\overline{\text{バスケットボール}}$→$\overline{\text{ラグビー}}$

$\rightarrow \overline{\text{サッカー}}$

✕ **5** $\overline{\text{テニス}}$とバドミントンを結びつける矢印はできない。

> ## POINT 整理
>
> **命題**…真偽の判断ができる文章。ある命題が与えられているとき、その対偶は必ず真となる。
>
> 　　命題：仮定と結論からなり真偽の基準となる文章。
>
> 　　　　$A \rightarrow B$
>
> 　　　　例　$_A$テニスが好きな人は$_B$野球が好きである。
>
> 　　逆　：仮定と結論を入れ替えた文章。
>
> 　　　　$B \rightarrow A$
>
> 　　　　例　$_B$野球が好きな人は$_A$テニスが好きである。
>
> 　　裏　：仮定と結論をそれぞれ否定した文章。
>
> 　　　　$\overline{A} \rightarrow \overline{B}$
>
> 　　　　例　$\overline{A}$テニスが好きではない人は$\overline{B}$野球が好きではない。
>
> 　　対偶：仮定と結論を入れ替え、さらにそれぞれを否定した文章。
>
> 　　　　$\overline{B} \rightarrow \overline{A}$
>
> 　　　　例　$\overline{B}$野球が好きではない人は$\overline{A}$テニスが好きではない。
>
> **三段論法**…「$A \rightarrow B$」「$B \rightarrow C$」がそれぞれ真のとき、「$A \rightarrow C$」も真となる。
>
> 　　　　　例「テニスが好きな人は野球が好き」
>
> 　　　　　　「野球が好きな人はサッカーが好き」
>
> 　　　　　　⇒「テニスが好きな人はサッカーが好き」

ある学校の修学旅行において、A～Fの6班が、宿への目標集合時間を17時として出発したところ、それぞれの班が到着した状況について、次のア～カのことがわかったとき、妥当なものはどれか。

ア　A班とC班の到着時間の差は12分であった。

イ　6班のうち最後の班は、目標集合時間より5分前に到着した。

ウ　C班とB班の到着時間の差は5分であった。

エ　D班が到着したのは目標集合時間の40分前で、D班の次の班はその10分後に到着した。

オ　E班はA班より3分前に到着した。

カ　F班はB班の15分後に到着した。

1　A班の到着時間は16時28分であった。

2　B班の到着時間は16時40分であった。

3　C班の到着時間は16時30分であった。

4　E班の到着時間は16時37分であった。

5　F班の到着時間は16時50分であった。

重要度	★★★	解答時間	4分	正解	2

解 説　**与えられた条件をもとに、数直線をかく。**

条件**イ**、**エ**から下のように数直線をかくことができる。

　A班とC班はどちらが先に着いたのかわからないので、条件**ア**、**オ**より次の2つの場合が考えられる。

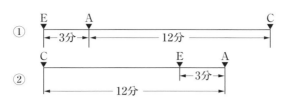

また、B班とC班もどちらが先に着いたのかわからないので、条件**ウ**、**カ**より次の2つの場合が考えられる。

D班の次の班が到着してから最後の班が到着するまでにかかった時間は、55-30＝25［分］である。①と③を組み合わせたときがちょうど25分となるので題意に合う。よって、次のように並んでいることがわかる。

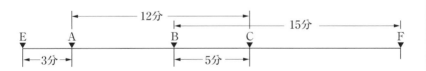

これを数直線にまとめると、下のようになる。

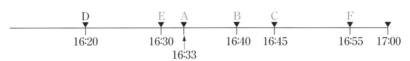

よって、それぞれの到着時間は次のようになる。

A班：16時33分　　B班：16時40分

C班：16時45分　　D班：16時20分

E班：16時30分　　F班：16時55分

下の平面図形の中で、一筆書きできないものはどれか。

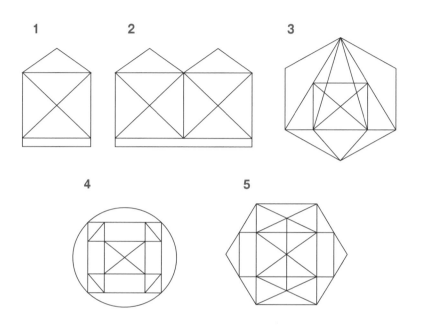

| 重要度 | ★★ | 解答時間 | 2分 | 正解 | 4 |

解説 **一筆書きができるかどうかは、1つの交点に集まる辺の数によって決まる。1つの交点に集まる辺の数が偶数であるか、奇数であってもそれが2箇所の場合は、一筆書きすることができる。**

問題の図で、1つの交点に集まる辺の数をそれぞれ数えてみると、次の図のようになる。

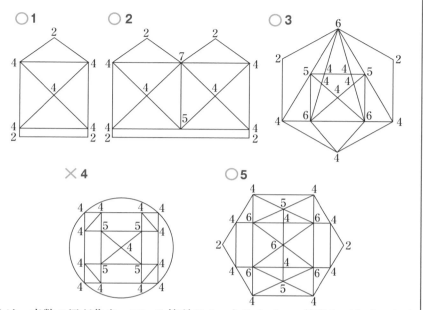

4 は、奇数の辺が集まっている箇所が4つあるので、一筆書きでかくことはできない。

▶ 一筆書き

交点に集まる辺の数によって、一筆書きできるかどうかが決まる。
①辺の数が偶数：どこからかき始めても一筆書きできる。
②辺の数が2箇所で奇数：奇数部分の交点がかき始めとかき終わりになる。

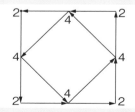
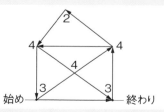

過去 9

次の図のような3×2×3（横×縦×高さ）の格子状の辺だけでできた直方体がある。点アから点イを通って点ウに最短で行く経路は何通りあるか。ただし、点アから点ウへ行くにはすべて辺の上を通るものとする。

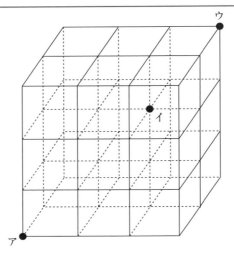

1　60通り
2　84通り
3　96通り
4　120通り
5　180通り

重要度	★ ★ ★	解答時間	4分	正解	5

解説 道順を考えるときは、図にそれぞれの交点までの最短経路の数を書きこんで考える。

　点アから点イまでの経路と点イから点ウまでの経路に分けて考える。

　点アからまっすぐ横と縦、上に行く道順はそれぞれ1通りしかないので、それぞれの交点に「1」を書きこむ。アの斜め上のAの交点に行く方法は、1+1=2［通り］なのでAに「2」を書く。同じようにして最短経路の数を書きこんでいくと、左下の図のようになり、点アから点イまでの最短経路は30通りとなる。同じように考えると、点イから点ウまでの最短経路は6通りとなる。よって、この場合の最短経路は、

　　$30 \times 6 = 180$［通り］

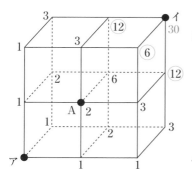

○内の数の和が経路の数

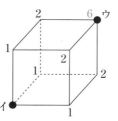

　右の図のように、行き方が **a** 通りあるa地点と **b** 通りあるb地点からc地点まで行く行き方は **a + b**［通り］となる。通れない交差点があるときは、その交差点には0を書きこむ。

次のように組合せを使って解くこともできる。

　　行き方＝$_{a+b}C_b$

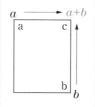

下図のような AB = BC、∠ B =90° の直角二等辺三角形がある。この直角二等辺三角形をまず辺 BC を軸に一回転させた後に、辺 AB を軸に一回転させてできる立体として、最も妥当なのはどれか。

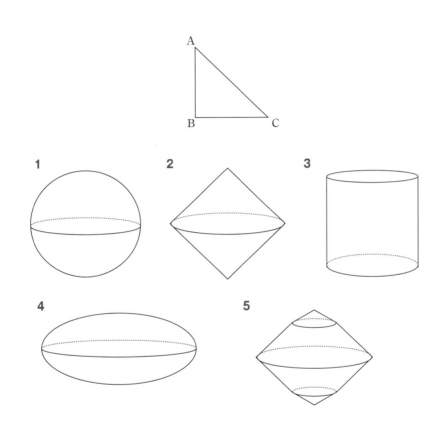

解 説 できた立体の投影図を考え、それをもとに見取り図を選ぶ。

辺 BC を軸に一回転させたとき、辺 AB がつくる平面は円になる。さらに、辺 AB を軸に一回転させたとき、辺 BC がつくる平面も同じ大きさの円になる。よって、できた立体を横から見た見取り図（側面図）は円、上から見た見取り図（平面図）も同じ大きさの円になる。選択肢の見取り図は、次のようになる。

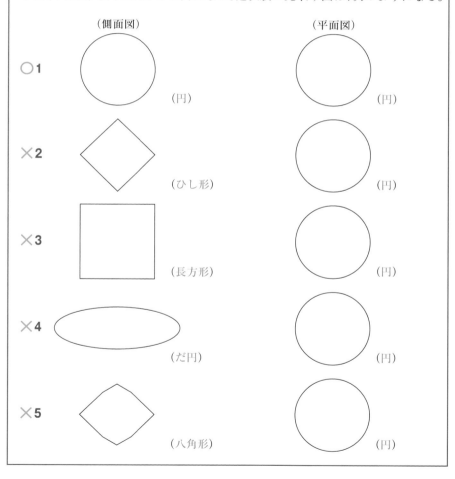

229

⒚ 資料解釈

過去
1

次の表は我が国の媒体別広告費の推移を示したものである。この表からいえることとして、最も妥当なのはどれか。

媒体別広告費 （単位：億円）

年次	総広告費 1）	マスコミ四媒体 2）	新聞	雑誌	ラジオ	テレビメディア	プロモーションメディア 3）	インターネット
2010年	58,427	27,749	6,396	2,733	1,299	17,321	22,147	7,747
2015年	61,710	28,699	5,679	2,443	1,254	19,323	21,417	11,594
2019年	69,381	26,094	4,547	1,675	1,260	18,612	22,239	21,048
2020年	61,594	22,536	3,688	1,223	1,066	16,559	16,768	22,290
2021年	67,998	24,538	3,815	1,224	1,106	18,393	16,408	27,052

1）2019年からは、「物販系 EC プラットホーム広告費」と「イベント領域」を追加し、広告市場の推定を行っている。

2）2010年は衛星メディア関連を除く。

3）プロモーションメディアとは、屋外、交通、折込、ダイレクト・メール、フリーペーパー・フリーマガジン・電話帳、店頭販促物、イベント・展示・映像などである。

1 2020年の総広告費は2019年より20％以上減少したが、2021年の総広告費は2020年より20％以上増加した。

2 2010年と2021年とを比較した場合、新聞、雑誌、ラジオ、テレビメディアの中で減少率及び減少額が最も大きかったのは、いずれも新聞である。

3 インターネットの広告費は、2010年にはマスコミ四媒体の広告費の30％未満であったが、2021年にはマスコミ四媒体の広告費の110％以上になっている。

4 2019年のプロモーションメディアの広告費は、総広告費の30％以上であったが、2021年には約6千億円減少し、2021年の総広告費の20％未満になっている。

5 新聞、雑誌、ラジオ、テレビメディアにおける広告費が最も高い年次と最も低い年次とを比較したとき、増減率が最も小さい媒体は、ラジオである。

| 重要度 | ★★ | 解答時間 | 5分 | 正解 | 3 |

解説 減少率 [%] ＝ $\dfrac{\text{前年の広告費} - \text{今年の広告費}}{\text{前年の広告費}} \times 100$

✕ **1** 2019年の総広告費に対する2020年の総広告費の減少率は

$$\dfrac{69,381 \text{［億円］} - 61,594 \text{［億円］}}{69,381 \text{［億円］}} \times 100 = 11.2 \cdots \fallingdotseq 11 \text{［％］}$$

2020年の総広告費に対する2021年の総広告費の増加率は、

$$\dfrac{67,998 \text{［億円］} - 61,594 \text{［億円］}}{61,594 \text{［億円］}} \times 100 = 10.3 \cdots \fallingdotseq 10 \text{［％］}$$

✕ **2** 2010年と2021年とを比較したとき、テレビメディアは広告費が増加している。その他の媒体の広告費の減少率と減少額は、下の表のようになる。

	新聞	雑誌	ラジオ
減少率	約40％	約55％	約15％
減少額	2,581億円	1,509億円	193億円

よって、減少額が最も大きいのは新聞であるが、減少率が最も大きいのは雑誌である。

◯ **3** マスコミ四媒体の広告費に対するインターネットの広告費の割合は、

2010年には、$\dfrac{7,747 \text{［億円］}}{27,749 \text{［億円］}} \times 100 = 27.9 \cdots \fallingdotseq 28 \text{［％］}$

2021年には、$\dfrac{27,052 \text{［億円］}}{24,538 \text{［億円］}} \times 100 = 110.2 \cdots \fallingdotseq 110 \text{［％］}$

✕ **4** 総広告費に占めるプロモーションメディアの広告費は、

2019年には、$\dfrac{22,239 \text{［億円］}}{69,381 \text{［億円］}} \times 100 = 32.0 \cdots\cdots \fallingdotseq 32 \text{［％］}$

2021年には、$\dfrac{16,408 \text{［億円］}}{67,998 \text{［億円］}} \times 100 = 24.1 \cdots \fallingdotseq 24 \text{［％］}$

広告費の減少額は、22,239［億円］－ 16,408［億円］ ＝ 5,831［億円］

✕ **5** 広告費が最も高い年次と最も低い年次の増減率は、下の表のようになる。

	新聞	雑誌	ラジオ	テレビメディア
増減率	約42％減	約55％減	約18％減	約14％減

よって、増減率が最も小さい媒体はテレビメディアである。

過去 2

次の表とグラフは、A～Dの4か国の、表で示された1995年時の燃料燃焼による CO_2 排出量の実数を100として、各年の CO_2 排出量の指数と推移を示したものである。この表とグラフからいえることとして、最も妥当なのはどれか。なお、グラフ中の2015年の指数は、C国が85.0、D国が85.2である。

（単位：100万 t）

	A国	B国	C国	D国
燃料燃焼による CO_2 排出量	5,073.9	513.8	343.6	856.6

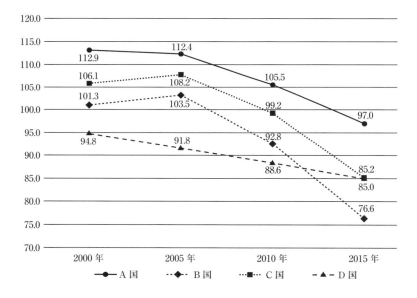

1 A～Dの4か国の燃料燃焼による CO_2 排出量の合計は、最も大きい年で80億 t を超えている。

2 2000年のA国の燃料燃焼による CO_2 排出量は、同年のB国のそれの10倍に満たない。

3 2000年と比較した2005年の燃料燃焼による CO_2 排出量の増加分は、B国よりもC国のほうが大きい。

4 2010年のC国の燃料燃焼による CO_2 排出量は、同年のD国のそれの5割に満たない。

5 2015年のA国とD国の燃料燃焼による CO_2 排出量の合計は、1995年のそれよりも10％以上減少している。

重要度	★★★	解答時間	5分	正解	4

 解 説 各年の CO_2 排出量＝1995年の CO_2 排出量× $\dfrac{各年のCO_2排出量の指数}{100}$

各年の燃料燃焼による CO_2 排出量は、次のようになる。　　（単位：100万 t）

	1995 年	2000 年	2005 年	2010 年	2015 年
A 国	5,073.9	5,728.4	5,703.1	5,353.0	4,921.7
B 国	513.8	520.5	531.8	476.8	393.6
C 国	343.6	364.6	371.8	340.9	292.1
D 国	856.6	812.1	786.4	758.9	729.8

✕ **1** 各年の燃料燃焼による CO_2 排出量の合計は、次のようになる。（単位：100万 t）

1995 年	2000 年	2005 年	2010 年	2015 年
6,787.9	7,425.6	7,393.1	6,929.6	6,337.2

よって、A～D の 4 か国の燃料燃焼による CO_2 排出量の合計で、80億 t を超える年はない。

また、時間短縮をするための考え方として、グラフより、2000年～2015年で 4 か国の合計としては、1995年の1.1倍を超えないことがわかるので、6,787.9×1.1＝7,466.69［100万 t］より80億 t を超える年はない。

✕ **2** 2000年のA国の燃料燃焼による CO_2 排出量は、B国のそれの

$\dfrac{5,728.4}{520.5} \fallingdotseq 11$［倍］より、10倍を超える。

✕ **3** 2000年と比較した2005年の燃料燃焼による CO_2 排出量の増加分は、B 国は531.8−520.5＝11.3［100万 t］、C 国は371.8−364.6＝7.2［100万 t］ よって、B 国よりも C 国のほうが小さい。

◯ **4** 2010年の C 国の燃料燃焼による CO_2 排出量は、同年の D 国のそれの

$\dfrac{340.9}{758.9} \fallingdotseq 0.45$より、5 割に満たない。

✕ **5** A 国と D 国の燃料燃焼による CO_2 排出量の合計は、1995年は5,073.9＋856.6＝5,930.5［100万 t］、2015年は4,921.7＋729.8＝5,651.5［100万 t］

よって、減少率は $\dfrac{5,930.5-5,651.5}{5,930.5} \times 100 \fallingdotseq 4.7$［%］より、10%以上減少していない。

section 4 一般知能 19 資料解釈

233

過去3

次の表は、我が国に在留する外国人の在留資格別の人数を示したものである。この表からいえることとして、最も妥当なのはどれか。なお、「対前年」は、前年末に対する増減率のことである。

(平成30年末実績　単位：人)

国籍		計	特別永住者	中長期在留者	永住者	留学	技能実習	その他
総数		2,731,093	321,416	2,409,677	771,568	337,000	328,360	972,749
	対前年	6.6%	− 2.5%	8.0%	3.0%	8.2%	19.7%	—
中国		764,720	872	763,848	260,963	132,411	77,806	292,668
	対前年	4.6%	− 15.1%	4.7%	4.9%	6.5%	0.3%	—
韓国		449,634	288,737	160,897	71,094	17,056	1	72,746
	対前年	− 0.2%	− 2.4%	3.9%	2.5%	7.2%	− 92.3%	—
ベトナム		330,835	3	330,832	16,043	81,009	164,499	69,281
	対前年	26.1%	50.0%	26.1%	7.6%	12.1%	33.1%	—
フィリピン		271,289	48	271.241	129,707	3,010	30,321	108,203
	対前年	4.1%	2.1%	4.1%	1.8%	26.7%	9.0%	—
ブラジル		201,865	29	201,836	112,934	553	7	88,342
	対前年	5.5%	3.6%	5.5%	0.1%	14.5%	− 22.2%	—
ネパール		88,951	3	88,948	4,480	28,987	257	55,224
	対前年	11.1%	0.0%	11.1%	8.2%	7.0%	43.6%	—
その他		623,799	31,724	592,075	176,347	73,974	55,469	286,285
	対前年	—	—	—	—	—	—	—

1　国籍別に永住者の対前年末増加人数と留学の対前年末増加人数をそれぞれみると、対前年末増加人数が最も多いのは中国の永住者である。

2　韓国の特別永住者の前年末の人数は、ベトナムの中長期在留者の前年末の人数より少ない。

3　平成30年末の中国、韓国、ベトナムの3国の在留者数を合計しても、平成30年末の在留者の総数の半分に満たない。

4　総数において、永住者、留学、技能実習の対前年末増加人数をそれぞれ比較すると、対前年末増加人数が最も多いのは永住者である。

5　韓国とブラジルの前年末の技能実習の人数を比較すると、ブラジルの方が多い。

重要度	★ ★ ★	解答時間	5 分	正解	1

解説 前年末の人数［人］＝今年末の人数［人］× $\dfrac{100}{100＋対前年}$

○ **1** 対前年末増加人数［人］＝今年末の人数［人］－前年末の人数［人］

$$＝今年末の人数［人］× \dfrac{対前年}{100＋対前年}$$

国籍別の永住者の対前年末増加人数と留学の対前年末増加人数は、下の表のようになる。

（単位：人）

	中国	韓国	ベトナム	フィリピン	ブラジル	ネパール
永住者	12,190	1,734	1,133	2,293	113	340
留学	8,081	1,146	8,744	634	70	1,896

✕ **2** 韓国の特別永住者の前年末の人数は、

$$288,737 × \dfrac{100}{100－2.4} ≒ 295,837 ［人］$$

ベトナムの中長期在留者の前年末の人数は、

$$330,832 × \dfrac{100}{100＋26.1} ≒ 262,357 ［人］$$

✕ **3** 平成30年末の中国、韓国、ベトナムの３国の在留者数の合計は、
$764,720＋449,634＋330,835＝1,545,189 ［人］$
平成30年末の在留者の総数の半分は、
$2,731,093÷2 ≒ 1,365,547 ［人］$

✕ **4** 総数の対前年末増加人数は、

$$永住者：771,568 × \dfrac{3.0}{100＋3.0} ≒ 22,473 ［人］$$

$$留学：337,000 × \dfrac{8.2}{100＋8.2} ≒ 25,540 ［人］$$

$$技能実習：328,360 × \dfrac{19.7}{100＋19.7} ≒ 54,041 ［人］$$

✕ **5** 前年末の技能実習の人数は、

$$韓国：1 × \dfrac{100}{100－92.3} ≒ 13 ［人］ \qquad ブラジル：7 × \dfrac{100}{100－22.2} ≒ 9 ［人］$$

過去4 次の図は、所得再分配による所得階級別の世帯分布をまとめたものである。この図から言えることとして、最も妥当なのはどれか。

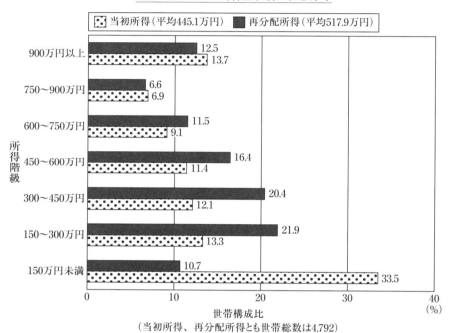

所得再分配による所得階級別の世帯分布

1 当初所得「150〜300万円」の世帯数は500世帯未満である。

2 当初所得「150万円未満」の世帯数は、再分配所得「750〜900万円」の世帯数の10倍以上である。

3 当初所得「600〜750万円」の全世帯の当初所得の合計額より、当初所得「150万円未満」の全世帯の当初所得の合計額の方が少ない。

4 再分配所得「750〜900万円」の全世帯の再分配所得の合計額より、再分配所得「150〜300万円」の全世帯の再分配所得の合計額の方が少ない。

5 もし当初所得「150万円未満」の世帯がすべて当初所得「150〜300万円」になり、かつ、それ以外の世帯の当初所得が変化しなければ、全体の当初所得の平均額は500万円を超える。

| 重要度 | ★★★ | 解答時間 | 4分 | 正解 | 3 |

 解 説 所得階級ごとの平均額が与えられていないので、最高値、最低値をもとに考える。

✕ **1** 当初所得「150～300万円」の世帯数は、$4{,}792 \times \dfrac{13.3}{100} \fallingdotseq 637$［世帯］

✕ **2** 当初所得「150万円未満」の世帯数は、$4{,}792 \times \dfrac{33.5}{100} \fallingdotseq 1{,}605$［世帯］

再分配所得「750～900万円」の世帯数は、$4{,}792 \times \dfrac{6.6}{100} \fallingdotseq 316$［世帯］

または、$33.5 \div 6.6 \fallingdotseq 5.1$（倍）として求めることもできる。

◯ **3** 当初所得「600～750万円」の世帯数と当初所得の合計額の最低は、

$4{,}792 \times \dfrac{9.1}{100} \fallingdotseq 436$［世帯］　　$600 \times 436 = 261{,}600$［万円］

当初所得「150万円未満」の当初所得の合計額の最高は、

$150 \times 1{,}605 = 240{,}750$［万円］

前者より小さくなるので、こちらの世帯の合計額の方が常に少ない。

✕ **4** 再分配所得「750～900万円」の再分配所得の合計額の最低は、
$750 \times 316 = 237{,}000$［万円］

再分配所得「150～300万円」の世帯数と再分配所得の合計額の最高は、

$4{,}792 \times \dfrac{21.9}{100} \fallingdotseq 1{,}049$［世帯］　　$300 \times 1{,}049 = 314{,}700$［万円］

よって、こちらの世帯の合計額の方が常に少ないとは言えない。

✕ **5** 現在の当初所得の合計は、$445.1 \times 4{,}792 = 2{,}132{,}919.2$［万円］
全体の当初所得の平均額が500万円になったとすると、当初所得の合計は、
$500 \times 4{,}792 = 2{,}396{,}000$［万円］
平均額が500万円を超えるためには、当初所得「150万円未満」の世帯の所得の増加額が1世帯当たり平均、
$(2{,}396{,}000 - 2{,}132{,}919.2) \div 1{,}605 \fallingdotseq 164$［万円］
よりも多くなる必要があるので、当初所得が「150～300万円」になっても、全体の当初所得は500万円を超えない。

次の図は、ある年の矯正施設新収容者の居住地割合について、全国7地方別にまとめたものと、関東地方における都県別にまとめたものである。この図から言えることとして、最も妥当なのはどれか。

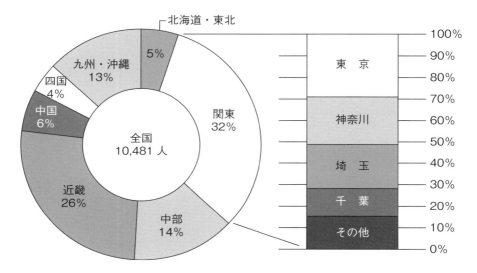

1 近畿地方（7県）を居住地とする1県あたりの平均収容者数と、九州・沖縄地方（8県）を居住地とする1県あたりの平均収容者数を比べると、近畿地方は九州・沖縄地方の3倍を超えている。
2 神奈川県を居住地とする者の人数は、650人を超えている。
3 東京都を居住地とする者の人数は、全国の都道府県別居住者の中で最も多い。
4 埼玉県を居住地とする者の人数は、四国地方を居住地とする者の人数の2倍を超えている。
5 関東地方を居住地とする者と、近畿地方を居住地とする者の人数の差は、1000人を超えている。

| 重要度 | ★★★ | 解答時間 | 4分 | 正解 | 2 |

 解 説　　ある地方を居住地とする者の人数
＝全国の矯正施設新収容者の人数×居住地割合

✕**1** 近畿地方の1県あたりの平均収容者数の割合は、

$$\frac{26}{7}\ [\%]$$

九州・沖縄地方の1県あたりの平均収容者数の割合は、

$$\frac{13}{8}\ [\%]$$

よって、近畿地方の1県あたりの平均収容者数の九州・沖縄地方に対する割合は、

$$\frac{26}{7} \div \frac{13}{8} = \frac{26 \times 8}{7 \times 13} = \frac{16}{7} \fallingdotseq 2.3\ [倍]$$

○**2** 関東地方を居住地とする者の人数は、
10,481×0.32≒3,354［人］
この中で神奈川県を居住地とする者の人数は20％より多いので、
3,354×0.2≒671［人］

✕**3** 関東地方以外は道府県別の居住地割合が与えられていないので、東京都を居住地とする者の人数が全国の都道府県別居住者の中で最も多いかどうかはわからない。

✕**4** 埼玉県を居住地とする者の人数の割合は、関東地方の20％より多いので、
32×0.2≒6.4［％］
よって、埼玉県を居住地とする者の人数の四国地方に対する割合は、

$$\frac{6.4}{4} \fallingdotseq 1.6\ [倍]$$

✕**5** 関東地方を居住地とする者の割合は32％、近畿地方を居住地とする者の割合は26％より、割合の差は、
32−26＝6［％］
よって、人数の差は、
10,481×0.06≒629［人］

次の表は、我が国の損害保険の種目別保険料の推移を表している。この表からいえることとして、最も妥当なのはどれか。

（単位：億円）

会計年度	1990	2000	2010	2019	2020
任意保険					
火災	9,735	10,537	10,073	12,807	14,693
自動車	24,781	36,501	34,564	41,089	41,881
傷害	6,670	6,766	6,477	6,750	6,205
新種　1）	6,014	6,923	8,189	13,035	13,331
海上・運送	2,941	2,315	2,324	2,622	2,426
強制保険					
自動車賠償責任保険	6,147	5,698	8,083	9,791	8,390
損害保険料の合計	56,288	68,740	69,710	86,094	86,926

1）賠償責任保険、動産総合保険、労働者災害補償責任保険、航空保険、盗難保険、建設工事保険、ペット保険など

1　任意保険の保険料の合計が損害保険料の合計に占める割合は、各年度90％以下になっている。

2　新種保険の保険料が任意保険の保険料の合計に占める割合は、各年度10％以上であり、2020年度は15％以上である。

3　傷害保険の保険料が任意保険の保険料の合計に占める割合は、1990年度から2019年度までは10％以上であるが、2020年度は5％以下である。

4　2010年度と2020年度では、海上・運送保険の保険料が任意保険の保険料の合計に占める割合は、いずれも増加している。

5　自動車賠償責任保険の保険料が最も高いのは2019年度であるが、自動車賠償責任保険の保険料が損害保険料の合計に占める割合は2020年度が最も高い。

重要度	★ ★	解答時間	5分	正解	2

解説 損害保険料の合計、任意保険の保険料の合計のどちらに占める割合かに注意する。

各年度の任意保険の保険料の合計は、次のようになる。

1990年度：9,735 + 24,781 + 6,670 + 6,014 + 2,941 = 50,141 ［億円］
2000年度：10,537 + 36,501 + 6,766 + 6,923 + 2,315 = 63,042 ［億円］
2010年度：10,073 + 34,564 + 6,477 + 8,189 + 2,324 = 61,627 ［億円］
2019年度：12,807 + 41,089 + 6,750 + 13,035 + 2,622 = 76,303 ［億円］
2020年度：14,693 + 41,881 + 6,205 + 13,331 + 2,426 = 78,536 ［億円］

×**1** 各年度の任意保険の保険料の合計が損害保険料に占める割合は、次の表のようになる。

	1990年度	2000年度	2010年度	2019年度	2020年度
割合［%］	89	92	88	89	90

よって、2000年度は90%より大きくなっている。

○**2** 新種保険の保険料が任意保険の保険料の合計に占める割合は、

	1990年度	2000年度	2010年度	2019年度	2020年度
割合［%］	12	11	13	17	17

よって、各年度10%以上で、2019年度、2020年度は15%以上である。

×**3** 傷害保険の保険料が任意保険の保険料の合計に占める割合は、

	1990年度	2000年度	2010年度	2019年度	2020年度
割合［%］	13	11	11	9	8

よって、1990年度〜2010年度までは10%以上であるが、2019年度と2020年度は10%未満5%以上である。

×**4** 任意保険の保険料の合計は2020年度が2019年度より増加していて、海上・運送保険の保険料は2020年度が2019年度より減少している。よって、2020年度の海上・運送保険の保険料が任意保険の保険料の合計に占める割合は減少している。「いずれも」とあるので、2010年度と2020年度を比較するわけではないことに注意する。

×**5** 自動車賠償責任保険の保険料が損害保険料の合計に占める割合は、

	1990年度	2000年度	2010年度	2019年度	2020年度
割合［%］	11	8	12	11	10

よって、自動車賠償責任保険の保険料が損害保険料の合計に占める割合が最も高いのは2010年度である。

SECTION 4 一般知能 攻略法

文章理解

- 和文…文章の空欄補充、短文の並べ替え、要旨の把握などが主な出題傾向です。
- 英文…英文の空欄補充、要旨の把握などです。

数的処理

- 数を求める問題は、決まった解き方を覚えることです。
- n進法、食塩水の濃度、仕事量、距離・速さ・時間の関係、電車や船の速さ、さまざまな形の面積や体積の求め方など、一定の法則をしっかりと頭に入れてください。

判断推理

- 与えられた条件から類推する問題には、対応関係、数量関係、順序、道順、勝敗表、ウソつきなど、決まった問題形式があります。これらはたくさんの問題をこなして法則をつかめば、解答時間も短縮でき、得点アップにつながります。
- 図形の問題は、立方体、展開図、サイコロ、軌跡などの問題形式に慣れておくことです。

資料解釈

- 問題で何を求められているかをいち早く判断することです。
- 必要のない計算などをすることはありません。解答に時間のかかる分野ですから、解き方のコツをしっかり身につけてください。

国語試験
論文試験

日本語の基本である、漢字の読み方、書き取り、文章力の試験です。
これらは反復練習を重ねることにより、かなりの効果を発揮します。何度でもチャレンジしてください。

（　　）内の漢字の読みが妥当な文を（1）〜（5）の中からそれぞれ1つ選び、記号で答えなさい。

			読み方と正解

［No.1］
（1）　罪人に（軽侮）の念をいだく。　　けいべつ　　けいぶ
（2）　伝統的な技術を（会得）した。　　かいとく　　えとく
（3）　実家の（建坪）を調べる。　　たてつぼ　　—
（4）　真面目な人を（唆）して悪事を働く。　　さと　　そそのか
（5）　船が（奔流）に飲まれた。　　ほうりゅう　　ほんりゅう
正解（3）

［No.2］
（1）　（彫塑）用の粘土で型を作る。　　ほりそ　　ちょうそ
（2）　組織の（枢要）な地位に就く。　　すうよう　　—
（3）　葬儀で（弔辞）を読んだ。　　とうじ　　ちょうじ
（4）　哺乳瓶を（煮沸）消毒する。　　にふつ　　しゃふつ
（5）　彼女は自己（顕示）欲が強い。　　けいじ　　けんじ
正解（2）

［No.3］
（1）　今後の方針を専門家会議に（諮）る。　　はか　　—
（2）　今回の措置は（時宜）にかなっている。　　じせん　　じぎ
（3）　正体を偽り（市井）の人として暮らしていた。　　しい　　しせい
（4）　彼は悲しみのあまり（喪心）している。　　もしん　　そうしん
（5）　山々の間に海が（隠見）する。　　おんけん　　いんけん
正解（1）

［No.4］
（1）　内部告発によりチームが（瓦解）した。　　がかい　　—
（2）　奇襲を受けて（潰走）する。　　ついそう　　かいそう
（3）　（形骸）化している制度は廃止すべきだ。　　けいこく　　けいがい
（4）　子どものことで心を（煩）わせている。　　まぎら　　わずら
（5）　研修の講師を（委嘱）する。　　いたく　　いしょく
正解（1）

［No. 5］
（1）　池で釣れたのは（雑魚）だけだった。　　　ちぎょ　　ざこ
（2）　枝を（矯）めて枝ぶりを良くする。　　　　たしな　　た
（3）　（楷書）で名前を記入する。　　　　　　　みんしょ　かいしょ
（4）　敵の（牙城）を崩すのは容易ではない。　　きじょう　がじょう
（5）　料金の（多寡）は問わない。　　　　　　　たか　　　―
　　　　　　　　　　　　　　　　　　　　　　　　　　　正解（5）

［No. 6］
（1）　二つの作品には（画然）とした違いがある。　がぜん　　かくぜん
（2）　（苛烈）な生存競争を生き抜いた。　　　　つうれつ　かれつ
（3）　加害者に（怨恨）を抱いている。　　　　　おんこん　えんこん
（4）　来賓を（恭）しい態度で迎えた。　　　　　うやうや　―
（5）　神社でお（神酒）をいただく。　　　　　　みしゅ　　みき
　　　　　　　　　　　　　　　　　　　　　　　　　　　正解（4）

［No. 7］
（1）　元旦は神社に（参詣）する。　　　　　　　さんぱい　さんけい
（2）　脳の血管が（閉塞）している。　　　　　　へいそく　―
（3）　有識者にご（叱正）を乞う。　　　　　　　しっしょう　しっせい
（4）　右足の（浮腫）が直らない。　　　　　　　うしゅ　　ふしゅ
（5）　物価高により利益は（逓減）した。　　　　てんげん　ていげん
　　　　　　　　　　　　　　　　　　　　　　　　　　　正解（2）

［No. 8］
（1）　（好餌）に釣られて恥をかいた。　　　　　こうえ　　こうじ
（2）　同盟（罷業）を決行する。　　　　　　　　のうぎょう　ひぎょう
（3）　銃口から（硝煙）が上がる。　　　　　　　しょうえん　―
（4）　（凝）った料理を振る舞われる。　　　　　うたが　　こ
（5）　商品の在庫が（僅少）となった。　　　　　きしょう　きんしょう
　　　　　　　　　　　　　　　　　　　　　　　　　　　正解（3）

設問の（　　）内の語句に相当する漢字を含む文を、次の（1）～（5）のうちからそれぞれ1つずつ選び、記号で答えなさい。

	書き方と正解
［No.1］ 祖父は九十歳にしてなお（ソウケン）である。	壮健
（1） かつてない（ソウゼツ）な戦いを繰り広げた。	壮絶
（2） 場内の（ソウゴン）な雰囲気に圧倒される。	荘厳
（3） 都会の（ケンソウ）から離れて暮らす。	喧騒
（4） 念入りに部屋を（ソウジ）する。	掃除
（5） シートベルトを（ソウチャク）する。	装着
	正解（1）
［No.2］ （コウリョウ）とした景色を眺めている。	荒涼
（1） 聞き取れるよう（メイリョウ）に発音してほしい。	明瞭
（2） 風邪をひいて自宅で（リョウヨウ）している。	療養
（3） その職人は優れた（ギリョウ）の持ち主だった。	技量
（4） 政治資金を（オウリョウ）する。	横領
（5） 夏は（セイリョウ）飲料水がよく売れる。	清涼
	正解（5）
［No.3］ 急いでいても（アセ）りは禁物だ。	焦
（1） 有給休暇の取得を（ショウレイ）する。	奨励
（2） 多くの人から（ショウサン）される作品を残した。	称賛
（3） 話の（ショウテン）を絞って議論する。	焦点
（4） 寝る間も惜しんで仕事に（ショウジン）する。	精進
（5） （コウショウ）な議論にはついていけない。	高尚
	正解（3）
［No.4］ 侵略された領土を（ダッカン）する。	奪還
（1） 血液が体内を（ジュンカン）する。	循環
（2） 彼女は部下の失敗に（カンヨウ）だ。	寛容
（3） 首相（カンテイ）で会見を行う。	官邸
（4） 連合（カンタイ）の攻撃を受ける。	艦隊
（5） 受け取った利益を社会に（カンゲン）する。	還元
	正解（5）

［No.5］ 議長は（セイシュク）にするよう命じた。　　　　　　　静粛
　（1）　夏休みの（シュクダイ）を終わらせる。　　　　　　　宿題
　（2）　体調が悪いので外出を（ジシュク）している。　　　　自粛
　（3）　休憩時間を（タンシュク）する。　　　　　　　　　　短縮
　（4）　二人の結婚を（シュクフク）した。　　　　　　　　　祝福
　（5）　彼女は真面目で（テイシュク）な人だ。　　　　　　　貞淑
　　　　　　　　　　　　　　　　　　　　　　　　　　　正解（2）

［No.6］ （タクエツ）した演技力で注目を集める。　　　　　　　卓越
　（1）　（タクハイ）業者に集荷を依頼する。　　　　　　　　宅配
　（2）　専門的な業務を（イタク）する。　　　　　　　　　　委託
　（3）　新たな市場を（カイタク）する。　　　　　　　　　　開拓
　（4）　家族で（ショクタク）を囲む。　　　　　　　　　　　食卓
　（5）　（タクイツ）な問題を解答する。　　　　　　　　　　択一
　　　　　　　　　　　　　　　　　　　　　　　　　　　正解（4）

［No.7］ 父は（ユウズウ）が利かない頑固な人だ。　　　　　　　融通
　（1）　銀行から（ユウシ）を断られた。　　　　　　　　　　融資
　（2）　大会で優勝して（ユウエツ）感に浸る。　　　　　　　優越
　（3）　相手に（ユウリ）な情報を渡してはいけない。　　　　有利
　（4）　（ユウダイ）な景観に圧倒される。　　　　　　　　　雄大
　（5）　地球の（ユウキュウ）の歴史を紐解く。　　　　　　　悠久
　　　　　　　　　　　　　　　　　　　　　　　　　　　正解（1）

［No.8］ 古い街並みを眺めていると（キョウシュウ）にかられる。　郷愁
　（1）　（ユウシュウ）の美を飾る。　　　　　　　　　　　　有終
　（2）　穴の開いた壁を（シュウゼン）する。　　　　　　　　修繕
　（3）　外見の（ビシュウ）に左右されない。　　　　　　　　美醜
　（4）　この度はご（シュウショウ）様でした。　　　　　　　愁傷
　（5）　今夜は（チュウシュウ）の名月だ。　　　　　　　　　中秋
　　　　　　　　　　　　　　　　　　　　　　　　　　　正解（4）

国語試験・論文試験

論文試験

■字数は800〜1000字程度
■試験時間は60〜120分程度

書き方のポイント

論文試験の目的

　教養試験や体力検査では測ることができない、**受験者の内面的な資質**を見極めようとするのが論文試験である。

課題の傾向をさぐる

　警察官採用試験における論文試験では、**警察官という仕事への意欲や決意**、また、警察官としての**受験者の資質**をみようとする課題が多く出題される。各都道府県の過去の傾向をみたり、公表しているところに関しては、試験問題を手に入れたりして研究してみよう。

求められる人材

　この職業に就くにあたって、求められる人材とは何かを考えてみる。大きくまとめてみると以下のようになる。

> ★コミュニケーション能力のある人
> ★自分というものをきちんともっている人
> ★精神的強さと行動力のある人

書き方のテクニック

与えられたテーマから、自身の身近なことがらや経験談をいくつか考える

↓

いくつかの材料のなかから1つを選ぶ

↓

全体の構成（アウトライン）を考える

↓

実際に書き出す

↓

話を展開させて、大きな視野に立ったものの見方を表し、1つの結論を導き出す

● 段落の構成を考える

起 テーマに関しての問題提起や自分なりの問い

⬇

承 自分の見解の提示

⬇

転 「承」の部分を実証するための経験談や具体的な事例

⬇

結 意見や結論、問いに対する答え

● 書くときはココに注意

1 時間配分を考える

　構成（アウトライン）の作成は、全体の時間の1/4程度に。構成をきっちりと考えてから書き始める。見直しの時間は5～10分くらいが精一杯と考えておくほうがよい（**3**参照）。

2 字数制限

　字数はかならず守る。与えられた量の10％減くらいは許容範囲。字数オーバーは絶対にしてはいけない。

3 見直し

　書き上がって、時間があるようだったら見直しをする。ここでは、誤字・脱字を直す程度。

● 自分を見つめ直す

論文試験を受けるにあたって、**自己分析**をしてみよう。

●明確にしておきたいこと

- 自分の長所と短所
- 自己PR
- 今までの人生のなかで印象に残ったできごと
- 特技や好きなこと
- 人生や仕事上での将来の夢
- 警察官という仕事を選んだ理由

あなたが失敗した経験から学んだことを具体的に述べ、その経験を警察官の仕事にどのように活かしていきたいか述べなさい。

(字数：1000字　時間：80分)

答案例 (912字)

　大学では4年間を通じてフットサルのサークルに所属していた。3年生のときにはキャプテンを任され、積極的にサークル活動に関わった。他大学との試合設定や練習グラウンドの確保、チームとしての運営費の管理などに力を注いだ。**①**

　多くの試合を経験することが、実力アップやチームワークにつながると判断し、年間スケジュールのなかに大学や企業、一般のサークルとの試合を数多く組み入れた。しかし、試合の結果はなかなか勝ちに結び付かなかった。あるとき仲間から、チームのミーティングや地道な練習を重ねることも重要であり、いまのようにただ試合をこなすような状況では、よい結果は得られないのではないかとの意見が出た。勉強やアルバイト、就職活動で忙しいサークル仲間に代わって、自分がスケジュールを組み立てていたが、仲間への相談が不足していたのだ。

　そこで、どこからでも参加できるようにオンラインミーティングを月に一度開き、意見交換と情報共有をはかった。チームとしてベストな戦いをするために意見を出し合い、練習や戦術に役立てる。ときには、意見が分かれ、まとまらないこともあるが、そういうときこそは自分がまとめ役となる。それからは、試合での勝利数も徐々に増し、市の秋季大会ではベスト16に残ることができた。**②**

　警察官として仕事をしていくには、個人の能力が必要な場面と、もう一つ、組織で動くということが重要な場面がある。最善の結果にたどりつくために、どのように周りの仲間と協力し、ことに当たるかが問われるのだと思う。意見や判断の違うときこそ、じっくりと相手の意見を聞く。相手の話を聞いたあとに自分の考えをわかりやすく話す。そのやりとりのなかで、解決方法は見つかると思う。**③**

　警察官の仕事は多岐にわたる。近年では自然災害の被災地で、安心・安全を確保するための諸活動を行い、サイバー犯罪に対する不正アクセス対策の強化なども推進されているという。従来の仕事のほかに新しい取り組みも数多くあり、仕事の現場はたくさんあるが、どの現場でも仲間と仕事をすることを大切にしていきたい。個人の力を高めていくことはもちろんだが、組織としての力を堅持し、国民の安全と安心を守る一員でありたいと希望している。**⑤**　**④**

アドバイス ・・

❶身近な学生時代の出来事はインパクトがある

自分が学生時代に実際に経験したことは、読み手に強く訴えかける。サークルで主導的な立場にいたこと、困難をみんなで乗り越えたことは、働く仲間としてのよいアピールになる。**いままでの出来事のなかからスムーズに仕事につながる展開になるネタを探すこと**が大切である。

❷具体的に述べる

解決策は具体的に述べる。ミーティングの内容をもう少し詳しく述べれば、より印象深いものとなる。**どのような意見交換をし、どういう情報を共有するように努めた**かを述べよう。

❸表現方法に気をつける

論文試験では、「思う」の多用は避ける。意志が弱い印象になるので、**「考える」**のような断定的な表現を使う。例文の場合は許容範囲である。いろいろな表現方法を使えるようになるには、文章を書き慣れることが一番。たくさんの課題を設定して練習を重ねることを心掛けよう。

❹警察の仕事について調べる

警察について書かれた本や、各自治体の採用案内のウェブページなどを見て、警察がどのような組織をもっているかを把握しておこう。近年の特徴的な犯罪、それに伴う対策も調べてみる。『警察白書』にあたり生活安全の確保や犯罪捜査活動の具体的な内容にも触れておこう。どのようなテーマが与えられても、有益な素材になる。

❺条件をクリアする

「1000字」という与えられた範囲内で書き上げる。10%減は許容範囲であるので、**900字から1000字のなかでまとめる**。見直しの時間はあまりないと思ったほうがいい。構成の変更や削除、書き足しはできない。起承転結の構成や1段落のボリュームをしっかりと把握してから書き始めよう。与えられた条件を守ることが最初の関門である。

過去2

警察官は現場において自ら判断し行動することが求められるが、警察官にはどのような資質が望まれ、いかに努力すべきだと考えるか、具体的に述べなさい。　　（字数：1000字　時間：80分）

 アドバイス

❶ 判断力と行動力が求められる警察官の仕事。**「判断力」「行動力」**をキーワードに、今までの経験や自分の身に引き寄せた話題を拾い出す。順番などは気にせず、思いついたことを書き連ねてみる。

❷ 警察官としての資質や職務に就いたときに努力すべきことがらに話題を発展させられそうな**材料を 1 つ選び出す。**
（2つ以上でもよいが、いくつかの材料を最終的に 1 つの結論にもっていくのは難しい）

❸ **全体の構成を考える**
警察官としての資質やいかに努力すべきかについて、自分なりの見解を述べる。

自分の見解を**具体的な経験や事例に引き寄せて説明する**。学生時代のこと、アルバイトの経験、自身の成功談、失敗談など、小さな話題でもより具体的に述べることが大切。

自分の経験から導き出される結論。壮大な結論でなくてもよいが、身近に引き寄せた結論から、**社会性のある視点**をもっていることが示せれば、なお締まったものとなる。

❹ **実際に書き始める**
終了10分前くらいに書き上げる目安で始める。一度決めた構成を変えることは不可能と思ったほうがよい。

過去3　警察官として、困難な事件や危険な場面に遭遇したとき、それらを解決していく上で、活かせる経験について具体的に述べ、あなたが目指す警察官像に及びなさい。　（字数：1000字　時間：80分）

 アドバイス

❶ 「困難な事件や危険な場面」という語句から、自分の今までの人生で**困難なことを克服した経験や、がんばって何かをやりとげたこと**などを考えてみる。

❷ 自分自身の経験から、職務に関連づけられることがらを選んで、**具体的な「警察官像」**へと発展させる。

❸ **全体の構成を考える**
自身の経験をより具体的にわかりやすく述べる。

経験から導き出される見解を述べる。

その見解が、目指す警察官像と**どの部分でマッチするか**をわかりやすく説明し、結論へと導く。

❹ **実際に書き始める**
字は上手でなくても、**楷書で丁寧にわかりやすい字で書く**。漢字がわからないときは、ひらがなで書く。誤った漢字を書くよりはいい。

国語試験・論文試験

次ページに原稿用紙をつくりました。コピーをして何回でも使ってください。ここで掲げた論文試験の過去1、過去2、過去3に対して、実際に時間を計って書いてみてください。
他にもテーマを設定して、練習を繰り返しましょう。書き慣れることがなにより重要です。

原稿用紙はコピーをして使ってください。

100

200

300

400

500